ANTHOLOGIE DE L'ÉTERNEL AMOUR

Les plus beaux textes et poèmes sur le mariage

PIERRE HAÏAT

ANTHOLOGIE
DE L'ÉTERNEL AMOUR

Les plus beaux textes
et poèmes sur le mariage

COLLECTION
ESPACES

le
cherche
midi

Vous pouvez consulter notre catalogue général et l'annonce
de nos prochaines parutions sur notre site Internet :
cherche-midi.com

Si le mariage a ses chagrins, ses inquiétudes, il est le seul aussi où l'on puisse espérer réunir les douceurs de l'amitié, les plaisirs des sens et ceux de la raison ; où l'on jouisse enfin de toute la somme de bonheur que la nature humaine puisse thésauriser.

Honoré DE BALZAC

nous ne sommes que les syllabes
de mots que nous commençons
mais nul n'a la phrase entière
le sens c'est seulement des bouts
de sens que nous sommes ce qui
manque
pour faire la phrase c'est chez
l'autre l'autre l'autre

Henri MESCHONNIC

Introduction

«Dans tous les cas, mariez-vous. Si vous tombez sur une bonne épouse, vous deviendrez un homme heureux. Si vous tombez sur une mauvaise, vous serez philosophe, ce qui est une excellente chose pour l'homme.»

Ces paroles, énoncées par Socrate, expriment tout le mystère du mariage, celé dans la part d'irrationnel et d'imprévisible lors de la rencontre, dans l'étonnante exclusivité que chacun voue à l'autre et, enfin, dans l'aventure elle-même, inédite, de la vie à deux.

Il y a là comme un formidable miracle qui ne trouvera jamais de réponse définitive ou satisfaisante. Cette part d'extraordinaire qui réside dans la détermination de deux êtres à unir leur quotidien et leur avenir s'accentue encore davantage si l'on prend conscience qu'un couple qui se forme porte en lui un maillon d'humanité puisqu'il comptera, en moyenne, plus de mille descendants après dix générations !

Mystère d'une rencontre... Mystère d'un engagement... Pourquoi Elle et Lui et pas un(e) autre ? Pourquoi eux ? Pourquoi nous ?

« Tu m'as demandé : Pourquoi m'aimes-tu ?
C'est une voix lointaine qui répond des rives de ma destinée.
Je t'aime parce qu'une fois il fut écrit au livre de la vie
que nos pas se rencontreraient, que mon regard, levé vers toi,
pénétrerait ton regard et qu'alors nous ne ferions plus qu'un...
Je t'aime pour que s'ajoutent aux floraisons éternelles un
*   calice impérissable,*
une étincelante corolle née de nos essences mêlées, de nos
*   âmes confondues.*
Je t'aime parce que tu es toi [1]. *»*

---

1. Marguerite Burnat-Provins, *Le Livre pour toi*, Éd. de la Différence, 2004.

Quoi qu'il en soit, « mariez-vous ». Le philosophe, dans sa grande sagesse, l'affirme de façon formelle. Oui, il faut prendre le risque du mariage et le pari d'une vie de couple durable. Le mariage mérite d'être tenté parce qu'il est le lien de tous les défis ; il reste le lieu privilégié d'un authentique face-à-face avec l'autre et donc avec soi-même ; il est la marque tangible d'une volonté commune à entretenir pour faire vivre une promesse.

Aussi cette anthologie prend-elle le parti de magnifier le mariage, où le rêve se partage, où le quotidien reflète autre chose qu'une routine monotone.

En célébrant l'alchimie du mariage, dans ce qu'elle a de plus essentiel, ce florilège devrait devenir pour les époux le livre de chevet, quelque peu complice, de leur engagement, de leurs espérances et de leur détermination à partager ensemble leur amour et leur avenir.

Pierre HAÏAT

LE MONDE A BESOIN DE VOTRE BONHEUR

Voici, la route est ouverte
par vos promesses.
Le voyage est commencé
il n'est jamais fini.

Soyez l'un pour l'autre
le témoin de l'Amour infini
qui demeure avec vous.
Soyez pour le monde qui attend
des témoins enchantés.

Le monde a besoin de votre bonheur
pour croire qu'il peut croire.
Vivez l'aujourd'hui de cette foi
raisonnée, mais non pas raisonnable.

Vivez cette joie,
demain ne sera plus seulement demain
il sera le lendemain de votre joie.

Allez, le voyage est commencé
le monde a besoin de votre bonheur
pour croire qu'il peut aimer.

Louis de LA BOUILLERIE (1922-2001)
(Les Noces de l'été, Éd. du Cerf, 1986)

TABLE DES THÈMES

COMMENCEMENTS

Lorsque je suis venu
Te prendre par la main,

Ce n'était pas par jeu,
Ni pour t'arraisonner.

C'était pour arriver
Au vrai point de départ.

Eugène GUILLEVIC

Même les hasards qui m'ont fait te
rencontrer faisaient partie de moi-
même. Il est, dans la vie de chaque
homme, des heures décisives où les
hasards sont pleinement asservis à
sa nécessité. Et là, il est vain de
parler de chance ou de dire « si ».
Dès l'instant que tu existais, tu ne
pouvais pas ne pas venir à moi : ton
entrée dans ma vie était comprise
dans ton essence.

Gustave THIBON

LÉGENDE ARABE

C'EST TOI

Lorsque l'adolescente nocturne fut arrivée devant la cabane dont la seule issue sur le dehors était une porte si exiguë que seul un corps glorieux aurait pu se glisser dans son ouverture, elle entendit, dans le silence de l'aube, sangloter à l'intérieur celui qui la pleurait comme on pleure les morts.

Et elle frappe à la porte et la voix demande de l'intérieur : « Qui est à la porte ? »

Elle répondit : « C'est moi. »

Alors il y eut un grand silence, et les arbres eux-mêmes cessèrent leur murmure et ne laissèrent plus fuser les premières notes des oiseaux chanteurs. Mais la voix ne répondit pas de l'intérieur et la porte exiguë ne s'ouvrit pas...

Alors l'adolescente s'enveloppa du voile de la méditation et, sans une plainte, sans un soupir, elle s'étendit à terre contre la porte.

Et toute la journée et toute la nuit, elle resta étendue, la tête enfoncée dans le voile de la méditation, et elle mûrissait ainsi en son cœur la notion essentielle qui veut que les privilégiés de l'Amour meurent d'abord complètement à eux-mêmes avant de se présenter devant l'Amour.

C'est pourquoi, prête désormais à aborder la porte, elle se leva et alla d'abord s'abluer à la rivière, puis d'un pas assuré elle revint vers la cabane et heurta la porte.

Et la voix demanda de l'intérieur : « Qui est à la porte ? »

Et l'adolescente, cette fois, répondit : « C'est toi. »

Et la porte s'ouvrit d'elle-même...

Et le reste est le mystère des privilégiés de l'Amour.

(in *Paroles pour un amour*, par Jean Puyo,
Éd. Droguet et Ardant, 1995)

RABINDRANATH TAGORE
(1861-1941)

NOS MAINS S'ENLACENT...

Nos mains s'enlacent, nos yeux se cherchent. Ainsi commence l'histoire de nos cœurs.

C'est une nuit de mars éclairée par la lune ; l'exquise odeur du henné flotte dans l'air ; ma flûte est à terre abandonnée et la guirlande de fleurs est inachevée.

Cet amour entre toi et moi est simple comme une chanson.

Ton voile couleur de safran enivre mes yeux.

La couronne de jasmin que tu me tresses réjouit mon cœur comme une louange.

C'est un jeu alterné de dons et de refus, d'aveux et de mystères ; de sourires et de timidités, de douces luttes inutiles.

Cet amour entre toi et moi est simple comme une chanson.

Nul mystère au-delà du présent ; nulle aspiration vers l'impossible ; pur enchantement ; nul tâtonnement dans la profondeur de l'ombre.

Cet amour entre toi et moi est simple comme une chanson.

Nous ne nous égarons pas, hors des paroles, dans le silence éternel. Nous ne tendons pas nos mains vers le néant des espoirs impossibles.

Il nous suffit de donner et de recevoir.

Nous n'avons pas écrasé les grappes de la jouissance jusqu'à en exprimer le vin de la douleur.

Cet amour entre toi et moi est simple comme une chanson.

(*Le Jardinier d'amour*, Éd. Gallimard, 1963)
Traduit de l'anglais par H. Mirabaud-Thorens

JACQUES RABÉMANANJARA
(1913)

LE CANTIQUE DES CANTIQUES

Nos destins vont franchir les termes des promesses.
Ils s'en iront, parmi les rondes des amours,
Annoncer le lever de nos astres qui naissent,
Fêter l'aurore unique et chanter tour à tour
     et ta grâce et ta tresse.

Ma Bien-aimée, à toi ma vie, à toi mon cœur !
Par quel signe, quel mot te traduire ma flamme.
Pas un seul verbe humain, pas même tous mes pleurs
Ne sauraient exprimer les élans de mon âme
     et toutes ses langueurs.

Nous voici parvenus au tournant de la voie.
Et, la main dans la main, vers un monde nouveau,
Nous allons parsemer la route de nos joies
Et dénouer du Sort l'énigme et l'écheveau
     fait d'ardeur et de soie.

Sur la pente du ciel où l'Amour nous sourit,
L'Avenir, fraternel, escorte l'Espérance.
D'un geste tu m'auras de mes peines guéri ;
Et nous glorifierons, tous deux, d'un même cri,
     l'heureuse délivrance.

Quel charme à notre ivresse ajoutera l'azur ?
La nuit multipliera l'éclat de ses étoiles.
Mais j'attends le signal où l'instant le plus pur
M'attachera captif à l'ombre de ton voile :
     Tout est prêt ! Tout est mûr !

Ô Bien-Aimée, à nous la coupe des délices !
Nos vœux ont prospéré. Nos désirs sont comblés.

Pour consacrer l'aveu le temps se fait complice
Et je sens tout le ciel à mes genoux trembler
                    d'émois sans artifice...

L'étreinte de tes bras formera l'horizon.
Tout l'Univers, ce soir, d'un bout à l'autre pôle,
Viendra nous accueillir au seuil de la maison.
Le poids de mon bonheur chargera ton épaule
                    de jours en floraison.

(*Œuvres complètes*, Éd. Présence africaine, 1978)

FRANÇOIS COPPÉE
(1842-1908)

POUR TOUJOURS !

L'espoir divin qu'à deux on parvient à former
        Et qu'à deux on partage,
L'espoir d'aimer longtemps, d'aimer toujours, d'aimer
        Chaque jour davantage ;

Le désir éternel, chimérique et touchant,
        Que les amants soupirent
À l'instant adorable où, tout en se cherchant,
        Leurs lèvres se respirent ;

Ce désir décevant, ce cher espoir trompeur,
        Jamais nous n'en parlâmes ;
Et je souffre de voir que nous en ayons peur,
        Bien qu'il soit dans nos âmes.

Lorsque je te murmure, amant interrogé,
        Une douce réponse,
C'est le mot : « Pour toujours ! » sur les lèvres que j'ai,
        Sans que je le prononce ;

Et bien qu'un cher écho le dise dans ton cœur,
        Ton silence est le même,
Alors que sur ton sein, en mourant de langueur,
        Je jure que je t'aime.

Qu'importe le passé ? Qu'importe l'avenir ?
        La chose la meilleure,
C'est croire que jamais elle ne doit finir,
        L'illusion d'une heure.

Et quand je te dirai : « Pour toujours ! » ne fais rien
　　Qui dissipe ce songe,
Et que plus tendrement ton baiser sur le mien
　　S'appuie et se prolonge !

(*Poésies 1869-1874*, Librairie Alphonse Lemerre, 1925)

HENRI DE RÉGNIER
(1864-1936)

VŒU

Je voudrais pour tes yeux la plaine
Et une forêt verte et rousse,
Lointaine
Et douce
À l'horizon sous un ciel clair,
Ou des collines
Aux belles lignes
Flexibles et lentes et vaporeuses
Et qui sembleraient fondre en la douceur de l'air,
Ou des collines,
Ou la forêt...

Je voudrais
Que tu entendes,
Forte, vaste, profonde et tendre,
La grande voix sourde de la mer
Qui se lamente
Comme l'Amour ;
Et, par instant, tout près de toi,
Dans l'intervalle,
Que tu entendes,
Tout près de toi,
Une colombe
Dans le silence,
Et faible et douce
Comme l'Amour,
Un peu dans l'ombre,
Que tu entendes
Sourdre une source...

Je voudrais des fleurs pour tes mains,
Et pour tes pas

Un petit sentier d'herbe et de sable
Qui monte un peu et qui descende
Et tourne et semble
S'en aller au fond du silence,
Un tout petit sentier de sable
Où marqueraient un peu tes pas,
Nos pas,
Ensemble !

(Les Médailles d'argile)

(*Poèmes*, Éd. Mercure de France, 1981)

SARAH NAOR
(1961)

L'AMOUR RÉINVENTÉ

Te souviens-tu ?
C'était un jour, un soir, ou plutôt une fois
Il y a si longtemps déjà...

Le soleil et la lune étaient des hors-la-loi
Recouverts de nuées ombres à contre-courant
Ils secouèrent les dunes et bravèrent l'infortune
En devenant les plus chatoyants amants

Faisant fi des lumières et des contre marées
Des bassesses du monde et de ses relevés
Ils firent muer le temps et imposer l'Instant
D'un élan que rien n'aurait pu entraver

Et la Terre Éden devint réenchantée
Un autre absolu résolument Image
Régna sur ce moment, abolissant mirages
Miracles et fantasmes, LuSolSolLucement

Ô couleurs réinventées !
Ô bonheur des merveilles !
La nature a tant à nous montrer !

Partons à la recherche des clones de tendresse
Des transes et mystères de la beauté céleste
Découvrons les senteurs de ces unions innées
Portant à l'unisson le profond du profond !

Et lors le vague à l'âme
La luciole ferma les yeux

La solune s'embrasa
La montagne se souleva

Et la dune s'étreignit contre le corps d'un ange
Pour célébrer le dieu des amours retrouvés !

(*Le Caresseur d'âme*, Éd. La Bartavelle, 2003)

ARMAND SULLY PRUDHOMME
(1839-1907)

LA FEMME

Le premier homme est né, mais il est solitaire.
Il se sent l'âme triste en contemplant la terre :
« Pourquoi tant de trésors épars de tous côtés,
Si je ne peux, dit-il, étreindre ces beautés ?
Ni les arbres mouvants, ni les vapeurs qui courent,
Je ne puis rien saisir des objets qui m'entourent ;
Ils sont autres que moi, je ne puis les aimer,
Et j'en aimerais un que je ne sais nommer. »
Il demande un regard à l'aurore sereine,
Aux lèvres de la rose il demande une haleine,
Une caresse aux vents, et de plus tendres sons
Aux murmures légers qui montent des buissons ;
Des grappes de lilas qu'un vol d'oiseau secoue
Il sent avec plaisir la fleur toucher sa joue,
Et, tourmenté d'un mal qu'il ne peut apaiser,
Il cherche vaguement le bienfait du baiser.
Mais un jour, à ses yeux, la nature féconde
De toutes les beautés qu'il admirait au monde
Fit un bouquet vivant, de jeunesse embaumé.
« Ô femme, viens à moi, s'écria-t-il charmé.
Femme, Dieu n'eût rien fait s'il n'eût fait que la rose ;
La rose prend un souffle et ta bouche est éclose ;
Dieu de tous les rayons dispersés dans les cieux
Concentre les plus doux pour animer tes yeux.
Avec l'or de la plaine et le lustre de l'onde
Il fait ta chevelure étincelante et blonde.
Il forme de ton front la paix et la splendeur
Avec un lis nouveau qu'il a nommé candeur,
Et du frémissement des feuilles remuées
Du caprice des flots et du vol des nuées
De tout ce que la grâce a d'heureux mouvement

Il forme ta caresse et ton sourire aimant ;
Il choisit dans les fleurs les couleurs les plus belles
Pour en orner ton corps mobile et frais comme elles,
Et la terre n'a rien, ni l'onde, ni l'azur,
Qu'on ne possède en toi plus brillant et plus pur. »

(*Poésies*, Librairie Alphonse Lemerre, 1917)

FRANCIS JAMMES
(1868-1938)

LA MAISON SERAIT PLEINE DE ROSES...

La maison serait pleine de roses et de guêpes.
On y entendrait, l'après-midi, sonner les vêpres ;
et les raisins couleur de pierre transparente
sembleraient dormir au soleil sous l'ombre lente.
Comme je t'y aimerais ! Je te donne tout mon cœur
qui a vingt-quatre ans, et mon esprit moqueur,
mon orgueil et ma poésie de roses blanches ;
et pourtant je ne te connais pas, tu n'existes pas.
Je sais seulement que, si tu étais vivante,
et si tu étais comme moi au fond de la prairie,
nous nous baiserions en riant sous les abeilles blondes,
près du ruisseau frais, sous les feuilles profondes.
On n'entendrait que la chaleur du soleil.
Tu aurais l'ombre des noisetiers sur ton oreille,
puis nous mêlerions nos bouches, cessant de rire,
pour dire notre amour que l'on ne peut pas dire ;
et je trouverais sur le rouge de tes lèvres
le goût des raisins blonds, des roses rouges et des guêpes.

(*Choix de poèmes*, Éd. Mercure de France, 1955)

PAUL VERLAINE
(1844-1896)

VŒU FINAL

Ô l'Innocente que j'adore
De tout mon cœur, en attendant
Qu'à ce bonheur timide encore
S'ajoute le Plaisir ardent,

Vienne l'instant, ô l'Innocente,
Où, sous mes mains libres enfin,
Tombera l'armure impuissante
De la robe et du linge fin ;

Et luise au jour chaud de la lampe
Intime de ce premier soir,
Ton corps ingénu vers quoi rampe
Mon désir guettant son espoir,

Et vibre en la nuit nuptiale,
Sous mon baiser jamais transi,
Ta chair naguère virginale,
Nuptiale alors, elle aussi !

(La Bonne chanson)

(*La Bonne chanson, Amour, Bonheur, Chansons pour elle*,
Éd. Armand Colin, 1958)

MOLIÈRE
(1622-1673)

LE MARIAGE FORCÉ
(extrait)

SGANARELLE. – Hé bien ! ma belle, c'est maintenant que nous allons être heureux l'un et l'autre. Vous ne serez plus en droit de me rien refuser ; et je pourrai faire avec vous tout ce qu'il me plaira, sans que personne s'en scandalise. Vous allez être à moi depuis la tête jusqu'aux pieds, et je serai maître de tout : de vos petits yeux éveillés, de votre petit nez fripon, de vos lèvres appétissantes, de vos oreilles amoureuses, de votre petit menton joli, de vos petits tétons rondelets, de votre... ; enfin, toute votre personne sera à ma discrétion, et je serai à même pour vous caresser comme je voudrai. N'êtes-vous pas bien aise de ce mariage, mon aimable pouponne ?

DORIMÈNE. – Tout à fait aise, je vous jure ; car enfin la sévérité de mon père m'a tenue jusques ici dans une sujétion la plus fâcheuse du monde. Il y a je ne sais combien que j'enrage du peu de liberté qu'il me donne, et j'ai cent fois souhaité qu'il me mariât, pour sortir promptement de la contrainte où j'étais avec lui, et me voir en état de faire ce que je voudrai. Dieu merci, vous êtes venu heureusement pour cela, et je me prépare désormais à me donner du divertissement, et à réparer comme il faut le temps que j'ai perdu. Comme vous êtes un fort galant homme, et que vous savez comme il faut vivre, je crois que nous ferons le meilleur ménage du monde ensemble, et que vous ne serez point de ces maris incommodes qui veulent que leurs femmes vivent comme des loups-garous. Je vous avoue que je ne m'accommoderais pas de cela, et que la solitude me désespère. J'aime le jeu, les visites, les assemblées, les cadeaux et les promenades, en un mot, toutes les choses de plaisir, et vous devez être ravi d'avoir une femme de mon humeur. Nous n'aurons jamais aucun démêlé ensemble, et je ne vous contraindrai point dans vos actions, comme j'espère que, de votre côté, vous ne me contraindrez point dans les miennes ; car, pour moi, je tiens qu'il faut avoir une complaisance mutuelle, et qu'on ne se doit point marier pour se faire enrager l'un l'autre. Enfin nous vivrons, étant mariés, comme deux personnes qui savent leur monde. Aucun soupçon jaloux ne nous troublera la cervelle ; et c'est assez que vous serez assuré de ma fidélité, comme je serai persuadée de la vôtre...

(Acte unique, scène 2)

(Œuvres complètes, Éd. Garnier-Flammarion, 1965)

MAX ELSKAMP
(1862-1931)

L'AIMÉE

Il fait matin,
C'est toi que j'aime,
Viens, c'est le bien
Qui est suprême

Que nous irons
Là-bas chercher
Sous le ciel blond
Qui dit l'été,

Comme un baiser
Et sur la mer
Au jour qui naît
Rose dans l'air.

Mets-la alors
Ta robe blanche,
Tes anneaux d'or
Et sur tes hanches,

Ceinture de soie
Pour que ta taille,
Se dise en foi
Roseau de faille,

Et que soleil
Dans l'air monté,
Et qui s'éveille
Voie ta beauté.

Il fait matin
C'est toi que j'aime,

Qui m'es lien
Et en moi-même,

Comme clarté
Et que l'on choie,
De vérité
Qu'on sait en soi,

Dans la candeur
Qui dit ta chair,
Et que ton cœur
Aussi avère,

Dans le parler
Doux de tes lèvres,
Quand d'amour c'est
Que tu as fièvre.

Ô Toi alors
Ô mon aimée,
À cheveux d'or
Comme les blés,

C'est toi que j'aime
Dans une grâce
Douce et suprême
Et jamais lasse,

Et dans sa foi
Comme éternelle,
Alors le ciel
Qui met en moi.

(Les Heures jaunes)

(Œuvres complètes, Éd. Seghers, 1967)

JEAN-JACQUES ROUSSEAU
(1712-1778)

LA NOUVELLE HÉLOÏSE
(extraits)

LETTRE X À JULIE

Que vous avez raison, ma Julie, de dire que je ne vous connais pas encore ! Toujours je crois connaître tous les trésors de votre belle âme, et toujours j'en découvre de nouveaux. Quelle femme jamais associa comme vous la tendresse à la vertu, et, tempérant l'une par l'autre, les rendit toutes deux plus charmantes ? Je trouve je ne sais quoi d'aimable et d'attrayant dans cette sagesse qui me désole ; et vous ornez avec tant de grâce les privations que vous m'imposez, qu'il s'en faut peu que vous ne me les rendiez chères.

Je le sens chaque jour davantage, le plus grand des biens est d'être aimé de vous ; il n'y en a point, il n'y en peut avoir qui l'égale, et s'il fallait choisir entre votre cœur et votre possession même, non, charmante Julie, je ne balancerais pas un instant. Mais d'où viendrait cette amère alternative, et pourquoi rendre incompatible ce que la nature a voulu réunir ?...

LETTRE XI DE JULIE

Mon ami, je sens que je m'attache à vous chaque jour davantage ; je ne puis plus me séparer de vous ; la moindre absence m'est insupportable, et il faut que je vous voie ou que je vous écrive, afin de m'occuper de vous sans cesse.

Ainsi mon amour s'augmente avec le vôtre ; car je connais à présent combien vous m'aimez, par la crainte réelle que vous avez de me déplaire, au lieu que vous n'en aviez d'abord qu'une apparence pour mieux venir à vos fins. Je sais fort bien distinguer en vous l'empire que le cœur a su prendre, du délire d'une imagination échauffée ; et je vois cent fois plus de passion dans la contrainte où vous êtes que dans vos premiers emportements. Je sais bien aussi que votre état, tout gênant qu'il est, n'est pas sans plaisirs. Il est doux pour un véritable amant de faire des sacrifices qui lui sont tous comptés, et dont aucun n'est perdu dans le cœur de ce qu'il aime. Qui sait même si, connaissant ma sensibilité, vous n'employez pas, pour me séduire, une adresse mieux entendue ? Mais non, je suis injuste, et vous n'êtes pas capable d'user d'artifice avec moi. Cependant, si je suis sage, je me défierai plus encore de la pitié que de l'amour. Je me sens mille fois plus attendrie par vos respects que par vos transports...

(*Julie ou la Nouvelle Héloïse*, Éd. Flammarion, 1967)

ROGER MUNIER
(1923)

EURYDICE
(extrait)

Il la contemplait, captivé. Elle aussi s'arrêta, trouvant halte et limite dans le croisement nu de leurs regards. Déjà soustraite à soi, achevée, enclose. Liée au flux pénétrant de ce regard, s'y confondant sans qu'elle y puisse rien...

Tout est venu de ce regard. Une autre emprise, une sorte de connivence. Le regard est la connaissance charnelle, immédiate. Il envahit, il se laisse envahir. Approche fluide qui sait l'apparence répondante au seul niveau de l'apparence. Approche pure et déjà caresse.

Je touchais là une autre terre. J'avais d'un coup, par cet échange, la révélation d'un autre accès, celui que permet la chair comme chair connaissante. J'avais à rejoindre l'apparence par les voies de la chair, la chair-apparence, ouverte en connivence répondante, déjà remise en ce premier regard.

Ce fut un long chemin, une avancée incessante, indéfinie, car la connivence est sans fond.

Je t'ai épousée, comme aveugle et dans la nuit. Tu m'as ouvert la nuit, ô femme, forme accomplie de l'apparence possédable. Ton corps est une fleur nocturne. Levé dans le jour, sommet du jour vivant qu'il rassemble, il reste habité de sourdes profondeurs. Il érige dans la grâce la profonde nuit sous-jacente. Il la prolonge, l'exhausse sans heurt dans la clarté.

(*Eurydice*, Éd. Lettres Vives, 1986)

ANONYME

COMMENCEMENT DES CHANTS
DE LA GRANDE JOIE DU CŒUR

De sa voix, mon bien-aimé a troublé mon cœur,
Et m'a laissée en proie à la langueur.

Il habite auprès de la maison de ma mère
Et pourtant je ne sais comment aller vers lui.
Peut-être, en mon aventure, ma mère pourrait-elle être bonne ?
Ah ! je m'en irai la voir.

Vois, mon cœur se refuse à penser à lui,
Alors même que l'amour de lui me prend.
Vois, c'est un insensé,
Mais moi, je lui ressemble.

Il ne connaît pas mon désir de le prendre dans mes bras.
Il ne sait pas qu'il m'a fait aller vers ma mère.
Bien-aimé que ne te suis-je destinée par la Dorée
(La déesse) des femmes.

Viens vers moi, que je voie ta beauté,
Que père et mère soient heureux,
Que tous les hommes ensemble te fassent fête,
Et te célèbrent, Ô Bien-aimé.

(*Les Chants d'amour de l'Égypte ancienne*,
par Siegfried Schott, Librairie A. Maisonneuve, 1956)
Traduit de l'allemand par Paule Krieger

VICTOR HUGO
(1802-1885)

LES ENCHANTEMENTS
(extraits)

À partir de cette heure bénie et sainte où un baiser fiança ces deux âmes, Marius vint là tous les soirs. Si, à ce moment de sa vie, Cosette était tombée dans l'amour d'un homme peu scrupuleux et libertin, elle était perdue car il y a des natures généreuses qui se livrent, et Cosette en était une. Une des magnanimités de la femme, c'est de céder. L'amour, à cette hauteur où il est absolu, se complique d'on ne sait quel céleste aveuglement de la pudeur. Mais que de dangers vous courez, ô nobles âmes ! Souvent, vous donnez le cœur, nous prenons le corps. Votre cœur vous reste, et vous le regardez dans l'ombre en frémissant. L'amour n'a point de moyen terme ; ou il perd, ou il sauve. Toute la destinée humaine est ce dilemme-là. Ce dilemme, perte ou salut, aucune fatalité ne le pose plus inexorablement que l'amour. L'amour est la vie, s'il n'est pas la mort. Berceau ; cercueil aussi. Le même sentiment dit oui et non dans le cœur humain. De toutes les choses que Dieu a faites, le cœur humain est celle qui dégage le plus de lumière, hélas ! et le plus de nuit. Dieu voulut que l'amour que Cosette rencontra fût un de ces amours qui sauvent.

[...]

Il semblait à Cosette que Marius avait une couronne et à Marius que Cosette avait un nimbe. Ils se touchaient, ils se regardaient, ils se prenaient les mains, ils se serraient l'un contre l'autre ; mais il y avait une distance qu'ils ne franchissaient pas. Non qu'ils la respectassent ; ils l'ignoraient. Marius sentait une barrière, la pureté de Cosette, et Cosette sentait un appui, la loyauté de Marius. Le premier baiser avait été aussi le dernier. Marius, depuis, n'était pas allé au-delà d'effleurer de ses lèvres la main, ou le fichu, ou une boucle de cheveux de Cosette. Cosette était pour lui un parfum et non une femme. Il la respirait. Elle ne refusait rien, et il ne demandait rien. Cosette était heureuse, et Marius était satisfait. Ils vivaient dans ce ravissant état qu'on pourrait appeler l'éblouissement d'une âme par une âme. C'était cet ineffable premier embrassement de deux virginités dans l'idéal.

[...]

Que se passait-il entre ces deux êtres ? Rien, ils s'adoraient.

La nuit, quand ils étaient là, ce jardin semblait un lieu vivant et sacré. Toutes les fleurs s'ouvraient autour d'eux et leur envoyaient de l'encens ; eux, ils ouvraient leurs âmes et les répandaient dans les fleurs. La végétation lascive et vigoureuse tressaillait pleine de sève et d'ivresse autour de ces deux innocents, et ils disaient des paroles d'amour dont les arbres frissonnaient.

Qu'étaient-ce que ces paroles ? Des souffles. Rien de plus. Ces souffles suffisaient pour troubler et pour émouvoir toute cette nature. Puissance magique qu'on aurait peine à comprendre si on lisait dans un livre ces causeries faites pour être emportées et dissipées comme des fumées par le vent sous les feuilles. Ôtez à ces murmures de deux amants cette mélodie qui sort de l'âme et qui les accompagne comme une lyre, ce qui reste n'est plus qu'une ombre ; vous dites : Quoi ! ce n'est que cela ! Eh oui, des enfantillages, des redites, des rires pour rien, des inutilités, des niaiseries, tout ce qu'il y a au monde de plus sublime et de plus profond ! les seules choses qui vaillent la peine d'être dites et d'être écoutées !

(Les Misérables, Éd. Flammarion, 1999)

PAUL ÉLUARD
(1895-1952)

LA MORT L'AMOUR LA VIE

Tu es venue le feu s'est alors ranimé
L'ombre a cédé le froid d'en bas s'est étoilé
Et la terre s'est recouverte
De ta chair claire et je me suis senti léger
Tu es venue la solitude était vaincue
J'avais un guide sur la terre je savais
Me diriger je me savais démesuré
J'avançais je gagnais de l'espace et du temps

J'allais vers toi j'allais sans fin vers la lumière
La vie avait un corps l'espoir tendait sa voile
Le sommeil ruisselait de rêves et la nuit
Promettait à l'aurore des regards confiants
Les rayons de tes bras entr'ouvraient le brouillard
Ta bouche était mouillée des premières rosées
Le repos ébloui remplaçait la fatigue
Et j'adorais l'amour comme à mes premiers jours.

(Le Phénix)

(*Œuvres complètes*, Éd. Gallimard, 1968)

ALPHONSE DE LAMARTINE
(1790-1869)

JOCELYN
(extrait)

Mon cœur me l'avait dit : toute âme est sœur d'une âme ;
Dieu les créa par couple et les fit homme ou femme ;
Le monde peut en vain un temps les séparer,
Leur destin tôt ou tard est de se rencontrer ;
Et quand ces sœurs du ciel ici-bas se rencontrent,
D'invincibles instincts l'une à l'autre les montrent ;
Chaque âme de sa force attire sa moitié,
Cette rencontre, c'est l'amour ou l'amitié,
Seule et même union qu'un mot différent nomme,
Selon l'être et le sexe en qui Dieu la consomme,
Mais qui n'est que l'éclair qui révèle à chacun
L'être qui le complète, et de deux n'en fait qu'un.
Quand il a lui, le feu du ciel est moins rapide,
L'œil ne cherche plus rien, l'âme n'a plus de vide,
Par l'infaillible instinct le cœur soudain frappé,
Ne craint pas de retour, ni de s'être trompé,
On est plein d'un attrait qu'on n'a pas senti naître,
Avant de se parler on croit se reconnaître,
Pour tous les jours passés on n'a plus un regard,
On regrette, on gémit de s'être vu trop tard,
On est d'accord sur tout avant de se répondre,
L'âme de plus en plus aspire à se confondre ;
C'est le rayon du ciel, par l'eau répercuté,
Qui remonte au rayon pour doubler sa clarté ;
C'est le son qui revient de l'écho qui répète,
Seconde et même voix, à la voix qui le jette ;
C'est l'ombre qu'avec nous le soleil voit marcher,
Sœur du corps, qu'à nos pas on ne peut arracher.

(*Œuvres poétiques complètes*, Éd. Gallimard, 2001)

LÉON TOLSTOÏ
(1828-1910)

LA GUERRE ET LA PAIX
(extraits)

Quand, vers le soir, il partit, la comtesse vint droit à Natacha et lui demanda tout bas :

– Eh bien ?

– Maman, je vous en supplie, ne me demandez rien pour l'instant, répondit-elle. Ces choses-là ne se disent pas.

Et pourtant, ce même soir, Natacha, passant tour à tour de l'excitation à l'abattement, demeura longtemps, les yeux fixes, couchée dans le lit de sa mère. Elle lui raconta qu'il lui avait fait des compliments ; qu'il lui avait dit qu'il allait partir à l'étranger ; qu'il lui avait demandé où ils passeraient l'été, et qu'il lui avait aussi parlé de Boris.

– Mais jamais, jamais, avoua-t-elle, je n'ai rien éprouvé de pareil. En sa présence j'ai peur, toujours peur ; qu'est-ce que cela veut dire ? Cela veut dire que c'est sérieux, n'est-ce pas ? Maman, vous dormez ?

– Non, ma chérie, moi aussi j'ai peur. Allons, va dormir.

– De toute façon, je ne dormirai pas. Dormir ? Que c'est bête ! Maman, ma petite maman, je n'ai jamais rien ressenti de pareil, dit-elle alarmée de découvrir en elle ce sentiment nouveau. Pouvions-nous penser !...

Natacha croyait s'être éprise d'André dès leur première entrevue à Otradnoié. Ainsi donc l'homme quelle avait distingué dès cet instant (elle en était parfaitement convaincue) s'était retrouvé maintenant sur sa route et ne paraissait pas indifférent à son égard ! Ce bonheur étrange, inattendu, l'épouvantait.

– Et il a fallu justement, maintenant que nous sommes ici, qu'il vienne à Pétersbourg. Et il a fallu que nous nous rencontrions à ce bal. Tout cela est l'œuvre du destin. Oui, il est clair que cela devait arriver ainsi. À peine l'ai-je aperçu que j'ai ressenti quelque chose de particulier.

– Que t'a-t-il encore dit ? Quels sont ces vers ? Lis-les-moi...,
lui demanda sa mère d'un ton pensif à propos de vers qu'il avait
écrits dans l'album de Natacha.

– Maman, n'est-ce pas mal d'épouser un veuf ?

– Tais-toi, Natacha. Prie le bon Dieu. *Les mariages se font
dans les cieux.*

– Maman chérie, combien je vous aime, comme je suis
heureuse ! s'écria Natacha en versant des larmes de bonheur et
d'émotion. Et elle se jeta au cou de sa mère.

Dans le même moment, André, qui s'était rendu chez Pierre,
lui révélait son amour pour Natacha et sa ferme intention de
l'épouser.

[...]

– Oui, mon cher, me voilà ; je voulais te dire quelque chose
hier et c'est pour cela que je viens te voir. Je n'ai jamais rien
éprouvé de pareil. Je suis amoureux, mon ami.

Pierre poussa soudain un profond soupir et s'affala lourde-
ment sur le divan à côté d'André.

– De Natacha Rostov, n'est-ce pas ?

– Oui, oui, de qui donc, sinon d'elle ? Jamais je ne l'aurais
cru, mais cet amour est plus fort que moi. Hier j'ai souffert le
martyre, et pourtant ce martyre m'est plus cher que tout au
monde. Auparavant je ne vivais pas. C'est maintenant seulement
que je vis, mais je ne puis vivre sans elle. Mais peut-elle m'aimer ?
Je suis trop vieux pour elle... Parle donc, tu ne dis rien.

– Moi ? Moi ? Que voulez-vous que je vous dise ? fit Pierre
qui se leva brusquement et se mit à arpenter la pièce. Je l'ai toujours pensé... Cette jeune fille est un vrai trésor..., oui, un trésor,
un oiseau rare... Mon cher ami, je vous en supplie, n'hésitez pas,
ne raisonnez pas, mariez-vous, mariez-vous et mariez-vous...
Vous serez, j'en suis sûr, le plus heureux des hommes.

– Mais elle ?

– Elle vous aime.

(*La Guerre et la Paix*, Éd. Gallimard, 1952)
Traduit du russe par Henri Mongault

THÉODORE DE BANVILLE
(1823-1891)

À ÉLISABETH
(extraits)

Hélas ! qu'il fut long, mon amie,
        T'en souvient-il ?
Le temps de douleur endormie,
        Ce noir exil

Pendant lequel, tâchant de naître
        À notre amour,
Nous nous aimions sans nous connaître !
        Oh ! ce long jour,

Cette nuit où nos voix se turent,
        Cieux azurés,
Qui voyez notre âme, oh ! qu'ils furent
        Démesurés !

J'avais besoin de toi pour vivre ;
        Je te voulais !
Fou, je m'en allais pour te suivre,
        Je t'appelais

Et je te disais à toute heure
        Dans mon effroi :
C'est moi qui te cherche et qui pleure.
        Viens. Réponds moi...

Car à la fin je t'ai trouvée,
        Force et douceur,
Telle que je t'avais rêvée,
        Épouse et sœur,

Qui toujours, aimante et ravie,
      Me guériras,
Et qui traverseras la vie
      Entre mes bras.

Plus d'exil ! vois le jour paraître
      À l'orient :
Nous ne sommes plus qu'un seul être
      Fort et riant...

Oui, je t'ai retrouvée, et telle
      Que je t'aimais,
Toi qui, comme un miroir fidèle
      Vis désormais

Ma vie, et je t'aime, je t'aime,
      Je t'aime ! et pour
L'éternité, je suis toi-même,
      Ô cher amour.

(Les Exilés)

(*Œuvres*, Librairie Alphonse Lemerre)

MARIVAUX
(1688-1763)

LA DOUBLE INCONSTANCE
(extraits)

ARLEQUIN *tendrement, et lui prenant la main* : M'aimez-vous toujours ?

SILVIA : Si je vous aime, cela se demande-t-il ? est-ce une question à faire ?

FLAMINIA *d'un air naturel à Arlequin* : Oh pour cela, je puis vous certifier sa tendresse, je l'ai vue au désespoir, je l'ai vue pleurer de votre absence ; elle m'a touchée moi-même, je mourais d'envie de vous voir ensemble ; vous voilà : adieu, mes amis, je m'en vais, car vous m'attendrissez ; vous me faites tristement ressouvenir d'un amant que j'avais et qui est mort, il avait de l'air d'Arlequin, et je ne l'oublierai jamais. Adieu, Silvia, on m'a mise auprès de vous, mais je ne vous desservirai point ; aimez toujours Arlequin, il le mérite ; et vous, Arlequin, quelque chose qu'il arrive, regardez-moi comme une amie, comme une personne qui voudrait pouvoir vous obliger, je ne négligerai rien pour cela.

ARLEQUIN *doucement* : Allez, Mademoiselle, vous êtes une fille de bien, je suis votre ami aussi, moi ; je suis fâché de la mort de votre amant, c'est bien dommage que vous soyez affligée, et nous aussi.

Flaminia sort.

SILVIA *d'un air plaintif* : Eh bien, mon cher Arlequin ?

ARLEQUIN : Eh bien, mon âme ?...

SILVIA *d'un air inquiet* : Ah ! J'ai bien des choses à vous dire ! j'ai peur de vous perdre, j'ai peur qu'on ne vous fasse quelque mal par méchanceté de jalousie, j'ai peur que vous ne soyez trop longtemps sans me voir, et que vous ne vous y accoutumiez.

ARLEQUIN : Petit cœur, est-ce que je m'accoutumerais à être malheureux ?

SILVIA : Je ne veux point que vous m'oubliiez, je ne veux point non plus que vous enduriez rien à cause de moi ; je ne sais point dire ce que je veux, je vous aime trop, c'est une pitié que mon embarras, tout me chagrine.

ARLEQUIN *pleure* : Hi, hi, hi, hi.

SILVIA *tristement* : Oh bien, Arlequin, je m'en vais donc pleurer aussi moi.

ARLEQUIN : Comment voulez-vous que je m'empêche de pleurer, puisque vous voulez être si triste ? Si vous aviez un peu de compassion pour moi, est-ce que vous seriez si affligée ?

SILVIA : Demeurez donc en repos, je ne vous dirai plus que je suis chagrine.

[...]

ARLEQUIN : Dans cent ans d'ici nous serons tout de même.

SILVIA : Sans doute.

ARLEQUIN : Il n'y a donc rien à craindre, ma mie, tenons-nous joyeux.

SILVIA : Nous souffrirons peut-être un peu, voilà tout.

ARLEQUIN : C'est une bagatelle, quand on a un peu pâti, le plaisir en semble meilleur.

SILVIA : Oh pourtant, je n'aurais que faire de pâtir pour être bien aise moi.

ARLEQUIN : Il n'y aura qu'à ne pas songer que nous pâtissons.

SILVIA *en le regardant tendrement* : Ce cher petit homme, comme il m'encourage.

ARLEQUIN *tendrement* : Je ne m'embarrasse que de vous.

SILVIA *en le regardant* : Où est-ce qu'il prend tout ce qu'il me dit ? Il n'y a que lui au monde comme cela : mais aussi il n'y a que moi pour vous aimer, Arlequin.

ARLEQUIN *saute d'aise* : C'est comme du miel ces paroles-là.

(Acte Ier, scène VIII)

(Théâtre complet, Éd. Gallimard, 1993)

CHARLES PERRAULT
(1628-1703)

GRISELIDIS
(extrait)

S'étant instruit par un des siens
Si tout est prêt, si l'on est sur la trace,
Il ordonne aussitôt qu'on commence la chasse,
Et fait donner le Cerf aux chiens.
Le son des cors qui retentissent,
Le bruit des chevaux qui hennissent
Et des chiens animés les pénétrants abois,
Remplissent la forêt de tumulte et de trouble,
Et pendant que l'écho sans cesse les redouble,
S'enfoncent avec eux dans les plus creux du bois.

Le Prince, par hasard ou par sa destinée,
Prit une route détournée
Où nul des Chasseurs ne le suit ;
Plus il court, plus il s'en sépare :
Enfin à tel point il s'égare
Que des chiens et des cors il n'entend plus le bruit.

L'endroit où le mena sa bizarre aventure,
Clair de ruisseaux et sombre de verdure,
Saisissait les esprits d'une secrète horreur ;
La simple et naïve Nature
S'y faisait voir et si belle et si pure,
Que mille fois il bénit son erreur.

Rempli des douces rêveries
Qu'inspirent les grands bois, les eaux et les prairies,
Il sent soudain frapper et son cœur et ses yeux
Par l'objet le plus agréable,
Le plus doux et le plus aimable

Qu'il eût jamais vu sous les Cieux.
C'était une jeune Bergère
Qui filait aux bords d'un ruisseau,
Et qui conduisant son troupeau,
D'une main sage et ménagère
Tournait son agile fuseau.

Elle aurait pu dompter les cœurs les plus sauvages ;
Des lys, son teint a la blancheur,
Et sa naturelle fraîcheur
S'était toujours sauvée à l'ombre des bocages :
Sa bouche, de l'enfance avait tout l'agrément,
Et ses yeux qu'adoucit une brune paupière,
Plus bleus que n'est le firmament,
Avaient aussi plus de lumière.

Le Prince, avec transport, dans le bois se glissant,
Contemple les beautés dont son âme est émue,
Mais le bruit qu'il fait en passant
De la Belle sur lui fit détourner la vue ;
Dès qu'elle se vit aperçue,
D'un brillant incarnat la prompte et vive ardeur
De son beau teint redoubla la splendeur,
Et sur son visage épandue,
Y fit triompher la pudeur.

Sous le voile innocent de cette honte aimable,
Le Prince découvrit une simplicité,
Une douceur, une sincérité,
Dont il croyait le beau sexe incapable
Et qu'il voit là dans toute leur beauté.

Saisi d'une frayeur pour lui toute nouvelle,
Il s'approche interdit, et plus timide qu'elle,
Lui dit d'une tremblante voix,
Que de tous ses Veneurs il a perdu la trace,
Et lui demande si la chasse
N'a point passé quelque part dans le bois.

« Rien n'a paru, Seigneur, dans cette solitude,
Dit-elle, et nul ici que vous seul n'est venu ;
 Mais n'ayez point d'inquiétude,
Je remettrai vos pas sur un chemin connu.

 – De mon heureuse destinée
Je ne puis, lui dit-il, trop rendre grâce aux Dieux ;
 Depuis longtemps je fréquente ces lieux,
Mais j'avais ignoré jusqu'à cette journée
 Ce qu'ils ont de plus précieux. »

Dans ce temps elle voit que le Prince se baisse
 Sur le moite bord du ruisseau,
 Pour étancher dans le cours de son eau
 La soif ardente qui le presse.
 « Seigneur, attendez un moment »,
 Dit-elle, et courant promptement
Vers sa cabane, elle y prend une tasse
 Qu'avec joie et de bonne grâce,
 Elle présente à ce nouvel Amant.

Les vases précieux de cristal et d'agate
 Où l'or en mille endroits éclate,
Et qu'un Art curieux avec soin façonna,
N'eurent jamais pour lui, dans leur pompe inutile,
 Tant de beauté que le vase d'argile
 Que la Bergère lui donna.

Cependant pour trouver une route facile
 Qui mène le Prince à la Ville,
Ils traversent des bois, des rochers escarpés
 Et de torrents entrecoupés ;
Le Prince n'entre point dans une route nouvelle
Sans en bien observer tous les lieux d'alentour,
 Et son ingénieux Amour
 Qui songeait au retour,
 En fit une carte fidèle.

Dans un bocage sombre et frais
Enfin la Bergère le mène,
Où de dessous ses branchages épais
Il voit au loin dans le sein de la plaine
Les toits dorés de son riche Palais.

S'étant séparé de la Belle,
Touché d'une vive douleur,
À pas lents il s'éloigne d'Elle,
Chargé du trait qui lui perce le cœur ;
Le souvenir de sa tendre aventure
Avec plaisir le conduisit chez lui.
Mais dès le lendemain il sentit sa blessure,
Et se vit accablé de tristesse et d'ennui.

Dès qu'il le peut il retourne à la chasse,
Où de sa suite adroitement
Il s'échappe et se débarrasse
Pour s'égarer heureusement.
Des arbres et des monts les cimes élevées,
Qu'avec grand soin il avait observées,
Et les avis secrets de son fidèle amour,
Le guidèrent si bien que malgré les traverses
De cent routes diverses,
De sa jeune Bergère il trouva le séjour.

Il sut qu'elle n'a plus que son Père avec elle,
Que Griselidis on l'appelle,
Qu'ils vivent doucement du lait de leurs brebis,
Et que de leur toison qu'elle seule elle file,
Sans avoir recours à la Ville,
Ils font eux-mêmes leurs habits.

Plus il la voit, plus il s'enflamme
Des vives beautés de son âme ;
Il connaît en voyant tant de dons précieux,
Que si la Bergère est si belle,
C'est qu'une légère étincelle
De l'esprit qui l'anime a passé dans ses yeux.

Il ressent une joie extrême
D'avoir si bien placé ses premières amours ;
Ainsi sans plus tarder, il fit dès le jour même
Assembler son Conseil et lui tint ce discours :

« Enfin aux Lois de l'Hyménée
Suivant vos vœux je me vais engager... »

(*Contes*, Éd. Garnier, 1967)

POUR LE MEILLEUR

Même sommeil même réveil
Nous partageons nos rêves et notre soleil.
                                    Paul ÉLUARD

N'oublie pas, toi si préoccupé de l'infini,
qu'il n'y a pas d'autre infini
que l'infini du cœur à cœur.
                        Jacques de BOURBON-BUSSET

KHALIL GIBRAN
(1883-1931)

LE MARIAGE

Alors Almitra parla de nouveau et dit, Et le Mariage, Maître ?
Et il répondit, disant :
Vous êtes nés ensemble et ensemble vous resterez pour toujours.
Vous resterez ensemble quand les blanches ailes de la mort disperseront vos jours.
Oui, vous serez ensemble jusque dans la silencieuse mémoire de Dieu.
Mais qu'il y ait des espaces dans votre communion,
Et que les vents du ciel dansent entre vous.

Aimez-vous l'un l'autre, mais ne faites pas de l'amour une entrave :
Qu'il soit plutôt une mer mouvante entre les rivages de vos âmes.
Emplissez chacun la coupe de l'autre mais ne buvez pas à une seule coupe.
Partagez votre pain mais ne mangez pas de la même miche.
Chantez et dansez ensemble et soyez joyeux, mais demeurez chacun seul,
De même que les cordes d'un luth sont seules cependant qu'elles vibrent de la même harmonie.

Donnez vos cœurs, mais non pas à la garde l'un de l'autre.
Car seule la main de la Vie peut contenir vos cœurs.
Et tenez-vous ensemble, mais pas trop proches non plus :
Car les piliers du temple s'érigent à distance,
Et le chêne et le cyprès ne croissent pas dans l'ombre l'un de l'autre.

(*Le Prophète*, Éd. Casterman, 1956)
Traduit de l'anglais par Camille Aboussouan

SUZON DE TERSON
(1657-1684)

STANCES

Quelle douceur d'aimer et d'être aimée
Quand on peut sans rougir parler de tous ses feux
Et quand l'objet dont notre âme est charmée
Peut sans se dégoûter se voir toujours heureux !

Quel doux plaisir, quelle allégresse
De voir entre ses bras sans craindre aucun remords
Le cher objet de sa tendresse,
S'abandonner, mourir dans ces tendres transports !

Les plaisirs défendus nous coûtent
Des repentirs et des tourments,
Tôt ou tard nos cœurs s'en dégoûtent
Mais les plaisirs permis sont toujours plus charmants.

Quand dans un cœur bien fait et que la gloire anime
L'amour sans le devoir peut régner un moment,
On croit toujours que c'est un crime
Et de ses moindres feux on se fait un tourment.

Mais quand l'hymen serre des chaînes
Que l'amour avait su former,
Est-il de repentir, de tourments ni de peines
Que l'on craigne pour trop aimer ?

(*Poésies diverses de demoiselle Suzon de Terson*,
Éd. C. Anatole, Lo Libre Occitan, 1968)

ROBERT DESNOS
(1900-1945)

THE NIGHT OF LOVELESS NIGHTS
(extraits)

Coucher avec elle
Pour le sommeil côte à côte
Pour les rêves parallèles
Pour la double respiration

Coucher avec elle
Pour l'ombre unique et surprenante
Pour la même chaleur
Pour la même solitude

Coucher avec elle
Pour l'aurore partagée
Pour le minuit identique
Pour les mêmes fantômes

Coucher coucher avec elle
Pour l'amour absolu
Pour le vice pour le vice
Pour les baisers de toute espèce

Coucher avec elle
Pour un naufrage ineffable
Pour se prostituer l'un à l'autre
Pour se confondre

Coucher avec elle
Pour se prouver et prouver vraiment
Que jamais n'a pesé sur l'âme et le corps des amants
Le mensonge d'une tache originelle

Toujours avoir le plus grand amour pour elle
N'est pas difficile

Mais tout est douteux pour les cœurs de feu, pour les cœurs
    fidèles

Toujours avoir le plus grand amour
Y a-t-il des trahisons involontaires
Non la chair n'est jamais menteuse
Et le corps du plus vicieux reste pur

Pur comme le plus grand amour pour elle
Dans mon seul cœur il fleurit sans contrainte
Nulle boue jamais n'atteignit l'image de celle
La seule aimée dans le cœur de l'amant.

Nulle boue jamais n'atteignit le plus grand amour pour elle
C'est pour sa pureté qu'on admire le diamant
Nulle boue ne tache le diamant ni le cœur de celle
La plus aimée dans le cœur de l'amant.
[...]
Toujours avoir le plus grand amour pour elle
Il n'y a pas de trahison corporelle
Et que ton cœur batte toujours pour elle
Que tes yeux se ferment sur son unique image.

Être aimé par elle
Nul bonheur nulle félicité
Désir pas même
Mais volonté ou plutôt destin.

Être aimé par elle
Non pas une nuit de toutes les nuits
Mais à jamais pour l'éternel présent
Sans paysage et sans lumières

Être aimé par elle
Écrit dans les signes du temps
Malgré tout contre antan et futur
À jamais

(Fortunes, Éd. Gallimard, 1945)

ÉLIE GEORGES BERREBY
(1933)

LE POINT

Le point n'a pas d'épaisseur
Le point n'a pas de largeur
Le point n'a pas de longueur

Mille fois je t'ai prise dans mes bras
Et de point d'appui en point d'appui
De point de contact en point de contact
De point de repère en point de repère
Nous avons abouti au même point d'arrivée

Mais ce n'était jamais le même voyage

Mille fois nous sommes partis du même point
Et de point de vue en point de vue
De point à la ligne en point à la ligne
De point culminant en point culminant
Nous avons abouti au même point final

Mais ce n'était jamais le même voyage

Mille fois j'ai préludé par un point d'interrogation
Et de point de rencontre en point de rencontre
De point de fusion en point de fusion
De point du jour en point du jour
Nous avons effacé tous les points de suspension

Mais ce n'était jamais le même voyage

Mille fois nous nous sommes examinés point par point
Et de mise au point en mise au point
De point focal en point focal

Du premier point au dernier point
Nous nous sommes retrouvés au point capital

Mais ce n'était jamais le même voyage

Mille fois nous avons cédé à nos points faibles
Caresses pointues langues pointeuses
Et les étreintes pointillées du couple
Qui a trouvé sa pointure
Et cet appoint nous a conduits au plus haut point

Mais ce n'était jamais le même voyage
Ce n'est jamais le même voyage

Pourtant les points de départ sont tracés
Les points de rencontre les points de contact
Les points de vue les ronds-points
D'autres les ont déjà inventés
De point en point
Depuis des millénaires

Mais ce n'est jamais le même voyage

Nous ne courons pas pour des bons points
Nous ne voulons pas rendre des points
Nous savons bien que pour un point
Martin perdit son âne

C'est au point que je me demande
Si nous devons faire le point
Il y a toi
Il y a moi

Un Point
Mais c'est
Tout

BÉATRICE DE DIE

(XIIe siècle)

DE JOIE ET DE JEUNESSE JE ME REPAIS...

De joie et de jeunesse je me repais
et joie et jeunesse me rassasient
car mon ami est le plus joyeux
aussi suis-je agréable et gaie !
Et parce que je suis sincère envers lui
il est juste qu'il le soit envers moi.
À l'aimer je ne renonce pas
et je n'ai point le cœur de m'en séparer.

Il me plaît beaucoup car je sais qu'il vaut mieux que tous
celui dont j'éprouve le plus de désir
et pour celui qui le premier m'attira
je prie Dieu qu'il lui procure grande joie
et pour que quiconque lui voudrait du mal
ne soit pas cru, en dehors de ce que moi je lui reprocherais
car on cueille maintes fois les verges
avec lesquelles on se frappe.

Et la dame qui s'y entend en haut mérite
doit bien placer son savoir
en un preux chevalier vaillant
puis, si elle reconnaît son courage
qu'elle ose l'aimer devant tous
car à une dame aimant au grand jour
les preux et les [chevaliers] avenants
ne lui diront que compliments.

Car j'en ai choisi un valeureux et noble
par qui mérite s'améliore et s'affine
il est généreux, adroit et cultivé
plein de bon sens et de connaissance

je le prie d'avoir confiance en moi
et que nul ne puisse lui faire croire
que moi je commette envers lui une faute
si seulement je ne trouve en lui de défaillance.

Ami, votre vaillance
la connaissent les preux et les valeureux
pour cela je vous demande de m'accorder
s'il vous plaît, votre protection.

(in *Le Livre d'or des troubadours – XIIe-XIVe siècle*,
par Gérard Zuchetto et Jörn Gruber, Les Éditions de Paris, 1998)

PATRICE DE LA TOUR DU PIN
(1911-1975)

NOCES

Lorsque je vais vers toi de toute ma chair,
Refaisant l'admirable dessin de la femme
Avec les lèvres et les mains, la lumineuse
Prise de ton corps vierge dans le mien,
Il n'est pas d'autre mer pour le fleuve que je suis,
D'autre ciel pour le cri de bonheur que je suis,
D'autre champ pour le germe d'amour que je suis,
Et je ferme le corps que nous faisons ensemble.

Et je peux à la fin déborder de mon être,
À ton ventre et ta gorge, estuaires de la vie,
Et nous reprenons souffle l'un dans l'autre, au vent
Venu des plus profondes vallées sensuelles,
Et nous sommes du rythme éternel retrouvé !

Parce que d'un baiser tu changes tout un monde,
Que j'anime les grandes forces pures de ta chair,
Qui n'avaient pas, enfouies, trouvé leur plénitude,
Et qu'au travers de l'instant nuptial, je sais être
Sur l'immense courant qui joint les solitudes
Des hommes depuis toujours, et la solitude divine
À la leur, et tout près, cette solitude de nous-mêmes,
À celle de la vie que nous faisons éclore.

Et qu'au-delà de mon amour, mais bien en lui,
Je refais l'admirable dessin de ton âme
Tel qu'il fut au sourire divin, avec les sens
De l'âme errant sur elle comme mes mains
Sur ton corps, pour retrouver celui qui m'a fait naître,
Au delà de cet engendrement indéfini de pères
Jusqu'à l'enfant qui nous ressemblera...

(*Petite somme de poésie*, Éd. Gallimard, 1967)

GÉRARD DE NERVAL
(1808-1855)

UNE FEMME EST L'AMOUR...

Une femme est l'amour, la gloire et l'espérance ;
Aux enfants qu'elle guide, à l'homme consolé,
Elle élève le cœur et calme la souffrance,
Comme un esprit des cieux sur la terre exilé.

Courbé par le travail ou par la destinée,
L'homme à sa voix s'élève et son front s'éclaircit
Toujours impatient dans sa course bornée,
Un sourire le dompte et son cœur s'adoucit.

Dans ce siècle de fer la gloire est incertaine :
Bien longtemps à l'attendre il faut se résigner.
Mais qui n'aimerait pas, dans sa grâce sereine,
La beauté qui la donne ou qui la fait gagner ?

(*Œuvres complètes*, Éd. Gallimard, 1989)

VICTOR HUGO
(1802-1885)

MARIAGE DE LÉOPOLDINE HUGO ET DE CHARLES VACQUERIE

Aime celui qui t'aime, et sois heureuse en lui.
– Adieu ! – Sois son trésor, ô toi qui fus le nôtre !
Va, mon enfant béni, d'une famille à l'autre.
Emporte le bonheur et laisse-nous l'ennui !

Ici, l'on te retient ; là-bas, on te désire.
Fille, épouse, ange, enfant, fais ton double devoir.
Donne-nous un regret, donne-leur un espoir,
Sors avec une larme ! Entre avec un sourire !

(Les Contemplations)

(Œuvres poétiques, Éd. Gallimard, 1967)

ANONYME

LA FILLE AU ROI LOYS

Le roi Loys est sur son pont,
Tenant sa fille en son giron ;
Elle se voudrait bien marier
Au beau Déon, franc chevalier.

« Ma fill', n'aimez jamais Déon,
Car c'est un chevalier félon ;
C'est le plus pauvre chevalier,
Qui n'a pas vaillant six deniers.

– J'aime Déon, je l'aimerai ;
J'aime Déon pour sa beauté,
Plus que ma mère et mes parents,
Et vous, mon pèr', qui m'aimez tant.

– Ma fille, il faut changer d'amour,
Ou vous entrerez dans la tour.
– J'aime mieux aller dans la tour,
Mon pèr', que de changer d'amour.

– Et vite, où sont mes estafiers,
Mes geôliers, et mes guichetiers ?
Qu'on mette ma fille en la tour :
Ell' n'y verra jamais le jour. »

Elle y fut bien sept ans passés
Sans que personn' la pût trouver.
Au bout de la septième année,
Son père vint la visiter :

« Bonjour, ma fille, comment vous va ?
– Hélas, mon père, il va bien mal !

J'ai un côté mangé des vers,
Et les deux pieds pourris ès fers.

Mon père, avez-vous de l'argent,
Cinq à six sous tant seulement ?
C'est pour les donner au geôlier,
Qu'il me desserre un peu les pieds.

– Oui-da, ma fill', nous en avons,
Et des mille, et des millions ;
Nous en avons à vous donner,
Si vos amours voulez changer.

– Avant que changer mes amours,
J'aime mieux mourir dans la tour.
– Eh bien, ma fill', vous y mourrez,
De guérison point vous n'aurez. »

Le beau Déon passant par là,
Un mot de lettre lui jeta ;
Il y avait dedans écrit :
« Bell', ne le mettez en oubli ;

Faites-vous morte ensevelir,
Que l'on vous porte à Saint-Denis ;
En terre laissez-vous porter,
Point enterrer ne vous lairrai. »

La belle n'y a pas manqué :
Dans le moment a trépassé ;
Ell' s'est laissée ensevelir ;
On l'a portée à Saint-Denis.

Le roi va derrière en pleurant,
Les prêtres vont devant chantant
Quatre-vingts prêtres, trente abbés,
Autant d'évêques couronnés.

Le beau Déon passant par là :
« Arrêtez, prêtres, halte-là !

C'est m'amie que vous emportez,
Ah ! laissez-moi la regarder ! »

Il tira son couteau d'or fin
Et décousit le drap de lin ;
En l'embrassant fit un soupir :
La belle lui fit un souris.

« Ah ! voyez quelle trahison
De ma fille et du beau Déon !
Il les faut pourtant marier,
Et qu'il n'en soit jamais parlé.

Sonnez, trompettes et violons !
Ma fille aura le beau Déon.
Fillette qu'a l'envi' d'aimer,
Père ne l'en peut empêcher ! »

Quatre-vingts prêtres, trente abbés,
Autant d'évêques couronnés :
« Nous somm's venus pour l'enterrer,
Et nous allons la marier ! »

(in *Les Riches Heures de la chanson française*,
par Luc Decaunes, Éd. Seghers, 1980)

GYÖRGY SOMLYÖ
(1920)

FABLE DU MATIN ET DU SOIR

Avec toi je me couche avec toi je me lève
Miracle qui se répète sans tricherie
Chaque jour le matin de Pâques

Tu t'habilles devant moi tu te déshabilles devant moi
Le matin le soir
                comme font le matin le soir

C'est toujours le même matin
                le matin
Il n'y a pas *d'autre* soir
            que le soir

Tant qu'avec toi je me couche et je me lève
Chaque jour s'efface de nouveau
Chacun des jours passés depuis
Que je me couche avec toi et je me lève avec toi

Mon présent permanent

Astre qui culmines seul sur mon ciel

Étoile certaine
            le matin tu te lèves des brumes

Et le soir toujours tu descends dans mon lit

Je mesure mon temps sur ta nudité

Mes instants débauchés sont ressaisis
Par les jours de ton corps par les nuits de ton corps

Premier train le matin
Dernier train le soir sur mes rails

Climat de ma complexion

Géométrie de mes espaces courbes

Lune filant dans la fenêtre de mon train

Limite dans mes calculs

Je prends fin où tu commences

Toujours je t'engendrerai
Toujours tu m'engendreras

(*Contrefables*, Éd. Gallimard, 1973)
Version française d'Eugène Guillevic

HONORÉ DE BALZAC
(1799-1850)

LETTRE DE RENÉE DE L'ESTORADE
À LOUISE DE MACUMER
(extraits)

En jouissant de ton heureux mariage (et pourquoi ne t'avouerais-je pas tout ?), en l'enviant de toutes mes forces, j'ai senti le premier mouvement de mon enfant qui des profondeurs de ma vie a réagi sur les profondeurs de mon âme. Cette sourde sensation, à la fois un avis, un plaisir, une douleur, une promesse, une réalité ; ce bonheur qui n'est qu'à moi dans le monde et qui reste un secret entre moi et Dieu ; ce mystère m'a dit que le rocher serait un jour couvert de fleurs, que les joyeux rires d'une famille y retentiraient, que mes entrailles étaient enfin bénies et donneraient la vie à flots. Je me suis sentie née pour être mère ! Aussi la première certitude que j'ai eue de porter en moi une autre vie m'a-t-elle donné de bienfaisantes consolations. Une joie immense a couronné tous ces longs jours de dévouement qui ont fait déjà la joie de Louis.

Dévouement ! me suis-je dit à moi-même, n'es-tu pas plus que l'amour ? n'es-tu pas la volupté la plus profonde, parce que tu es une abstraite volupté, la volupté génératrice ?

[...]

L'amour est le plus joli larcin que la Société ait su faire à la Nature ; mais la maternité, n'est-ce pas la Nature dans sa joie ? Un sourire a séché mes larmes. L'amour rend mon Louis heureux ; mais le mariage m'a rendue mère et je veux être heureuse aussi !

[...]

Ce petit être ne connaît absolument que notre sein. Il n'y a pour lui que ce point brillant dans le monde, il l'aime de toutes ses forces, il ne pense qu'à cette fontaine de vie, il y vient et s'en va pour dormir, il se réveille pour y retourner. Ses lèvres ont un amour inexprimable, et, quand elles s'y collent, elles y font à la fois une douleur et un plaisir, un plaisir qui va jusqu'à la douleur, ou une douleur qui finit par un plaisir ; je ne saurais t'expliquer une sensation qui du sein rayonne en moi jusqu'aux sources de la vie, car il semble que ce soit un centre d'où partent mille rayons qui réjouissent le cœur et l'âme. Enfanter, ce n'est rien ; mais nourrir, c'est enfanter à toute heure. Oh ! Louise, il n'y a pas de caresses d'amant qui puissent valoir celles de ces petites mains roses qui se promènent si doucement, et cherchent à s'accrocher à la vie. Quels regards un enfant jette alternativement de notre sein à nos yeux ! Quels rêves on fait en le voyant suspendu par les lèvres à son trésor ? Il ne tient pas moins à toutes les forces de l'esprit qu'à toutes celles du corps, il emploie et le sang et l'intelligence, il satisfait au-delà des désirs. Cette adorable sensation de son premier cri, qui fut pour moi ce que le premier rayon de soleil a été pour la terre, je l'ai retrouvée en sentant mon lait lui emplir la bouche ; je l'ai retrouvée en recevant son premier regard, je viens de la retrouver en savourant dans son premier sourire sa première pensée. Il a ri, ma chère. Ce rire, ce regard, cette morsure, ce cri, ces quatre jouissances sont infinies : elles vont jusqu'au fond du cœur, elles y remuent des cordes qu'elles seules peuvent remuer !

(*Mémoires de deux jeunes mariées*, Éd. Gallimard, 1969)

STUART MERRILL
(1863-1915)

LA VISITATION DE L'AMOUR

Je veux que l'Amour entre comme un ami dans notre maison,
Disais-tu, bien-aimée, ce soir rouge d'automne
Où dans leur cage d'osier les tourterelles monotones
Râlaient, palpitant en soudaine pâmoison.

L'Amour entrera toujours comme un ami dans notre maison,
T'ai-je répondu, écoutant le bruit des feuilles qui tombent,
Par-delà le jardin des chrysanthèmes, sur les tombes
Que la forêt étreint de ses jaunes frondaisons.

Et voici, l'Amour est venu frapper à la porte de notre maison,
Nu comme la Pureté, doux comme la Sainteté ;
Ses flèches lancées vers le soleil mourant chantaient
Comme son rire de jeune dieu qui chasse toute raison.

Amour, Amour, sois le bienvenu dans notre maison
Où t'attendent la flamme de l'âtre et la coupe de bon vin.
Amour, ô toi qui es trop beau pour ne pas être divin,
Apaise en nos pauvres cœurs toute crainte de trahison !

Et l'amour est entré en riant dans notre maison,
Et nous ceignant le cou du double collier de ses bras,
Il a forcé nos bouches closes et nos yeux ingrats
À voir et à dire enfin ce que nous leur refusons.

Depuis, nous avons fermé la porte de notre maison
Pour garder auprès de nous le dieu errant Amour
Qui nous fit oublier la fuite furtive des jours
En nous chantant le secret éternel des saisons.

Mais nous l'ouvrirons un jour, la porte de notre maison,
Pour que l'Amour, notre ami, aille baiser les hommes

Sur leurs lèvres et leurs yeux – aveugles et muets que nous
[sommes ! –
Comme il nous baisa sur les nôtres, ce soir plein d'oraisons !

Et ce sera Pâques alors autour de notre maison,
Et l'on entendra prier les morts autour des tombes,
Et l'on verra s'essorer comme des âmes les colombes
Entre le soleil mort et la lune née à l'horizon.

(*Les Quatre Saisons*, Éd. Mercure de France, 1900)

ANDRÉ VERDET
(1915-2005)

AMOUR D'AMOUR
(extrait)

Je te sais et je te lis par cœur
Je te nomme et je t'épelle
Tes yeux sont mes voyelles
Et tes lèvres mes consonnes

Je vais là où tu vas
Mes pieds se posent au même endroit
Et toi dont l'amour est égal
Tu viens là où je suis

Tous les obstacles sont franchis
Il n'y a plus de détour
Il n'y a plus de frontière
Jamais plus nous ne nous perdrons
Malgré l'absence inéluctable

Si tes matins sont mes matins
Tes nuits se fondent à mes nuits
Midi minuit le point est fait
Toujours l'aiguille au beau mouvant
Malgré tristesses très profondes
Malgré cela qui se déchire
Et qui fait mal

Ô simplicité fastueuse
Ô quotidien miracle
Me voici toi te voici moi
Nous voilà tous deux ensemble
Et pourtant libres de nous-mêmes

Libres libres ô si libres
De nous conduire où nous voulons
Serions-nous l'un et l'autre
Au bout de pôles opposés

(Inédit)

ANNE SYLVESTRE
(1934)

LAZARE ET CÉCILE

On dit que Lazare et Cécile
Se sont enfuis cette nuit
Et que la lune docile
Jusqu'au matin n'a pas lui
On dit qu'un foulard de brume
Fit pour elle un voile blanc
Fit à Lazare un costume
Tissé de nacre et d'argent

On le savait au village
Que Cécile allait souvent
Rêvasser dans les herbages
Et danser avec le vent
On riait de ce Lazare
Sans amie sans fiancée
Qui rôdait près de la mare
Et n'allait jamais danser

On dit que Lazare et Cécile
Ont un soir changé d'avis
C'était pourtant pas facile
De se cacher près d'ici
Ils ont joint leur solitude
Ils ont partagé le vent
Prenant la douce habitude
De s'aimer secrètement

Au bout de quelques semaines
Il parut aux indiscrets
Que dans sa jupe de laine
Cécile s'alourdissait
Lors il fallut les entendre
Tous crier au déshonneur
Mais Cécile qui est tendre
A préféré le bonheur

On dit que Lazare et Cécile
Se sont enfuis cette nuit
Il y a bien des imbéciles
Pour en sourire aujourd'hui
Pourtant jusqu'au bout des saules
Ils se sont tenu la main
Puis épaule contre épaule
Ils ont suivi leur chemin

On aurait voulu peut-être
Voir Cécile dans l'étang
Et sous la branche d'un hêtre
Trouver Lazare pendant
Sans gêne on aurait pu suivre
Leur cortège en soupirant
Mais ceux que l'amour délivre
Préfèrent s'aimer vivants

On dit que Lazare et Cécile
Se sont mariés cette nuit
Dans la lumière fragile
Des heures d'après minuit
On dit qu'au creux de la mare
La lune en deux se brisa
Formant deux anneaux bizarres
Qu'ils se glissèrent au doigt

Lorsqu'ils ont couru ensemble
Le vent leur fit un manteau
Moi qui ne dormais pas j'en tremble
De les avoir vus si beaux
Toi Cécile toi Lazare
Apprenez à votre enfant
Que jamais on ne sépare
Ceux qui s'aiment simplement

Que jamais on ne sépare
Ceux qui s'aiment simplement

(*Sur mon chemin de mots*,
Éd. EPM et Le Castor astral, 1998)

ANONYME

(XIIIe ou XIVe siècle)

FORÊT, Ô GRANDE FORÊT

Forêt, ô grande forêt,
forêt tant et tant gentille,
sur la branche la plus haute
est la dame d'Amadi,
elle peigne ses cheveux
avec un peigne d'ivoire ;
il a les dents en or
et le manche d'ivoire.

Par là passa chevalier
un si gentil chevalier :
– Ma dame, que cherchez-vous,
que cherchez-vous par ici ?
– Je cherche mon mari,
mon mari Amadi.
– Que donnerez-vous ma dame
pour qu'on vous l'amène ici ?
– Je donnerai les trois champs
qui me restent d'Amadi.
Dans l'un pousse le blé
dans l'autre le gingembre ;
dans le plus petit des trois
du blé blanc pour Amadi.

– Que donnerez-vous de plus
pour qu'on vous l'amène ici ?
– Je donne mes trois moulins
qui me restent d'Amadi.
Dans l'un est moulu le blé,
et dans l'autre le gingembre,
dans le plus petit des trois
pour Amadi farine blanche.

– Il faut vous donner, vous, dame,
pour qu'on vous l'amène ici.
– Maudit soit tel chevalier
qui m'ose parler ainsi.
– Quels signes a-t-il, ma dame,
pour qu'on vous l'amène ici ?
– Au-dessous du téton gauche
une tache bleue il a.
– Ne maudissez point, ma dame,
car je suis votre Amadi.
Jetez jusqu'à moi vos tresses,
jusqu'à vous je monterai.

(Mirent la main dans la main,
allèrent se réjouir.)

(in *Romancero judéo-espagnol*, Éd. GLM, 1971)
Traduit du judéo-espagnol par Guy Lévis Mano

CHRISTINE DE PISAN
(1363-1431)

LA DOUCEUR DU MARIAGE

C'est une chose bien douce que le mariage. Je suis capable de la prouver par mon exemple ; c'est vrai pour qui a un mari bon et sensé comme Dieu me l'a fait trouver. Que Dieu en soit loué et qu'il veuille me le préserver, car sa grande bonté je peux l'éprouver. Et certes l'amant m'aime bien.

La première nuit du mariage, alors j'ai bien pu mettre à l'épreuve sa grande bonté car jamais il ne m'a fait d'outrage dont j'aie eu à me plaindre. Mais avant que ce soit le moment de se lever il m'embrasse cent fois, comme je l'affirme sans me faire la moindre offense. Et certes l'amant m'aime bien.

Il me disait avec de si douces paroles : « Dieu m'a fait parvenir jusqu'à vous, tendre amie, et c'est pour vous, je crois, qu'il m'a fait grandir. » Ainsi, il ne cessa de parler comme dans un rêve toute la nuit dans une attitude parfaite, sans s'en écarter nullement. Et certes l'amant m'aime bien.

Prince, il me fait devenir fou d'amour quand il me dit qu'il est tout à moi. Il me fera mourir de tendresse. Et certes l'amant m'aime bien.

(Ballades)
(Œuvres poétiques, Éd. Didot, 1886)

ROBERT MORAN
(1932)

P

En toi les alchimies commencent
Ton cher ventre est sacré
Creuset
Où le baiser des dieux déposa sa semence.
Un être ! un rien
Un tout se prépare à la vie.
Ma récompense
Est au bout du chemin.
Je me perdis en toi
Demain par lui, je recommence.

(Inédit)

Ce poème qui a pour titre la lettre P – dont la graphie représente la femme enceinte – est extrait de *Alfemmebet*, recueil inédit où chacune des vingt-six lettres chante la Femme.

HENRI MESCHONNIC
(1932)

TU ME DEMANDES CE QUE JE FERAI...

Tu me demandes ce que je ferai quand nous serons ensemble
puisque je n'aurai plus à t'écrire
ensemble ne m'emplira plus des paroles des autres
mes yeux ne serreront plus des ressemblances
de faux fragments de toi
où je tiens à peine à flot
que ferai-je quand tout cela sera ensemble
j'y serai une eau mêlée à l'eau
je me reconnaîtrai
ne sachant plus la différence
moi qui ai déjà tant d'illuminations de toi
un album d'immobiles et je veux une continuité
je n'écrirai plus à toi c'est toi que j'écrirai
je te disséminerai dans les mots où je me rassemble
mes regards pour se vêtir remonteront de leur exil vers toi.

(Dédicaces Proverbes, Éd. Gallimard, 1972)

ANONYME

GERMAINE

Germaine se promène
Dans ses jardins fleuris.
Par son chemin rencontre
Trois cavaliers jolis,
En lui disant : « Fillette,
Que fait'-vous par ici ?

– Je ne suis point fillette,
Messieurs, j'ai un mari.
Mon pèr' m'a mariée
À quinze ans et demi ;
Y a bien sept ans passés
Que n'ai vu mon mari.

– Germain', belle Germaine,
Pouvez-vous nous loger ?
– Montez sur la colline,
Là-haut, dans ce château,
Il reste encor la mère,
La mèr' de mon mari.

– Bonjour, dame l'hôtesse.
Pourrez-vous nous loger ?
Apportez-nous à boire,
À boire et à manger,
Ainsi qu' la bell' Germaine
Pour nous accompagner.

– Eh donc, bonjour, la belle !
Sont là trois cavaliers
Qui ne veulent dormir,
Ni boire, ni manger,

Sans en avoir Germaine,
Germaine à leurs côtés.

– Ma mèr', ma belle-mère,
Pour qui me prenez-vous ?
J'ai mon honneur en garde
Pour mon fidèle époux,
Le restant de ma vie,
Le restant de mes jours. »

La mère s'en retourne
Tout droit à son logis :
« Buvez, mangez, beaux sires,
Ell' ne veut pas venir !
– Si vous n'étiez ma mère,
Je vous ferais mourir !...

Germain', belle Germaine,
Ouvrez à vot' mari.
– Si mon mari vous êtes,
Des idées donnez-moi,
Donnez-moi des idées
De la première nuit.

– T'en souviens-tu, Germaine,
De la première nuit ?
Sur mon cheval grison
Ton pied gauche a glissé ;
Ton pied gauche a glissé,
Germain', tu as tombé.

Germaine, ouvre, Germaine,
La porte à ton mari.
– Si mon mari vous êtes,
Des idées donnez-moi ;
Donnez-moi des idées
De la seconde nuit.

– T'en souviens-tu, Germaine,
De la seconde nuit ?

85

En montant dans les draps,
L'anneau d'or s'est cassé.
T'en gardas la moitié,
Mais l'autre, la voici. »

(in *Les Riches Heures de la chanson française,*
par Luc Decaunes, Éd. Seghers, 1980)

MAURICE FOMBEURE
(1906-1981)

MA FEMME

Le long de la guerre des jours
Dans le tumulte de mes veilles
Ton fantôme vient jusqu'à moi
Tremblante image du désir
Chargée d'amour et de tristesse,
Ombre chère du temps perdu

Entends-tu, dis, très grande amie
Mes silencieuses clameurs,
Les grands cris de mon amour muet
Cependant qu'au loin endormie
Dans le halo de ta tiédeur
Tu rêves ma pareille absence
Et souffres seule dans ton corps

Mais nous nous retrouvons si bien
Par-delà les nuits et l'espace
Que je ne redoute plus rien,
Que je défie le temps qui passe
Que je te baise, je t'enlace
Et pour toujours tu m'appartiens

Au fond de nos nuits éternelles,
Je te protège, sentinelle,
Soldat des Dieux armés d'amour
Fracassé de ses claires ailes,
Dur et tendre comme un tambour

Béthelainville, 29 novembre 1939

(*Une forêt de charme*, Éd. Gallimard, 1955)

ADA NEGRI
(1870-1945)

MATERNITÉ

Je sens, du plus profond de moi, une faible voix m'appeler.
Est-ce toi, qui n'es pas né encore qui viens dans le sommeil me
[réveiller ?
Ô vie ! ô vie neuve ! tout mon être palpitant
Est secoué de tressaillements qui sont tes baisers et tes pleurs,
Tu es l'inconnu ! Peut-être est-ce pour ta douleur et ton désespoir
Que je te nourris de mon sang, que je forme ton cœur de mon
[cœur !
Et pourtant je tends les mains dans un geste de lente caresse,
Je ris, ivre de vie, à un songe de force et de beauté.
Je t'aime et je t'invoque, ô mon fils, au nom du bien et du mal,
Puisque la Nature sacrée et immortelle t'appelle au monde.
Et je pense à toutes les femmes, à cette heure inquiète toute proche
En qui une même espérance monte du sein à leur cœur.
Elles ont toutes dans le regard la force et la crainte du mystère
Que leur sein ouvre à un être neuf de chair et de pensée.
Urnes d'amour, plus haut que l'homme et que la froide science,
L'inconsciente puissance du germe les place comme sur un autel.
Il est sacré le germe, il est tout : la force, la lumière, l'amour.
Qu'il soit béni le ventre qui l'enfantera dans la douleur...

(in *Poèmes pour ma mère*, Éd. Tchou, 1973)

HOMÈRE

(IXe siècle av. J.-C.)

L'ODYSSÉE

(extraits)

> *La vieille nourrice Euryclée court annoncer le*
> *retour d'Ulysse à Pénélope, qui hésite longtemps à*
> *la croire. Les deux époux se retrouvent seuls. Pour*
> *éprouver Ulysse, Pénélope feint que quelqu'un a*
> *déplacé leur lit ; Ulysse en est consterné, car c'est lui*
> *qui l'a bâti, inamovible...*

« Mais allons ! Euryclée, dresse le lit solide
qu'il avait fait lui-même, hors de la forte chambre !
Quand vous l'aurez porté dehors, garnissez-le
de toisons, de manteaux et de draps chatoyants. »
Elle parlait ainsi pour l'éprouver ; Ulysse alors,
en gémissant, dit à sa fidèle compagne :
« Femme, ce mot que tu as dit m'a meurtri l'âme.
Qui donc a déplacé mon lit ? C'eût été malaisé
même au plus habile homme, à moins qu'un dieu vînt à son aide,
qui l'eût facilement transporté en un autre lieu...
Mais des mortels, aucun, et fût-il vigoureux,
n'eût pu le déplacer. Car il est un secret
dans la structure de ce lit : je l'ai bâti tout seul.
Dans la cour s'élevait un rejet d'olivier feuillu
dru, verdoyant, aussi épais qu'une colonne.
Je bâtis notre chambre autour de lui,
de pierres denses, je la couvris d'un bon toit,
la fermai d'une porte aux vantaux bien rejoints.
Ensuite, je coupai la couronne de l'olivier
et, en taillant le tronc à la racine, avec le glaive
je le planai savamment et l'équarris au cordeau
pour faire un pied de lit ; je le perçai à la tarière.
Après cela, pour l'achever, je polis le reste du lit
en l'incrustant d'argent, d'ivoire et d'or ;

je tendis les sangles de cuir teintes de pourpre.
Voilà le secret dont je te parlais ; mais je ne sais
si mon lit est encore en place, ô femme, ou si déjà
un autre, pour le déplacer, a coupé la racine. »
À ces mots, ses genoux et son cœur défaillirent,
elle reconnaissait les signes décrits par Ulysse ;
toute en pleurs, elle vint à lui, jeta ses bras
au cou d'Ulysse, baisa son visage et lui dit :
« Ne m'en veux pas, Ulysse, toi qui fus toujours le plus
sensé des hommes : les dieux nous ont élus pour le malheur,
nous enviant la douceur de rester auprès l'un de l'autre
pour goûter la jeunesse et atteindre le seuil de l'âge.
Et aujourd'hui, ne va pas te fâcher ni me blâmer
de ne pas t'avoir tout de suite ouvert les bras !
En effet, tout au fond de moi, mon cœur toujours
redoutait que quelqu'un ne vînt ici pour me tromper
de ses discours : il en est tant qui ne pensent qu'à mal !
[...]
« Maintenant que tu m'as décrit le signe indubitable
de notre lit qu'aucun autre mortel n'a vu,
hors toi et moi et une seule de mes femmes,
Actoris, que mon père me donna lorsque je vins,
et qui gardait les portes de la forte chambre,
quelque cruel qu'il soit, mon cœur est convaincu. »
Elle dit, en Ulysse accroissant le désir des pleurs ;
il pleura, tenant sa femme fidèle, joie de son âme.
Bienvenue apparaît la terre aux naufragés
dont Poseïdon a fait sombrer le beau navire
en haute mer, chassé par le vent et la houle ;
peu d'entre eux peuvent échapper à la mer grise, et nagent
vers le rivage : tout leur corps est ruisselant d'écume,
joyeux ils mettent pied sur la rive, loin du malheur :
ainsi fut bienvenu à ses yeux le mari,
et ses bras blancs ne voulaient plus se détacher du cou...

(Chant XXIII)

(*L'Odyssée*, Éd. François Maspéro, 1982)
Traduit du grec par Philippe Jaccottet

À PROPOS DU MARIAGE

Lorsque l'on a pris conscience de la distance
infinie qu'il y aura toujours entre deux êtres
humains, quels qu'ils soient, une merveilleuse vie « côte à côte » devient possible :
il faudra que les deux partenaires deviennent
capables d'aimer cette distance qui les sépare
et grâce à laquelle chacun des deux aperçoit
l'autre entier, découpé sur le ciel.

Rainer Maria RILKE

La véritable intimité est celle qui permet de
rêver ensemble avec des rêves différents.

Jacques SALOMÉ

JACQUES DE BOURBON-BUSSET
(1912-2001)

L'AMOUR DURABLE

Le mariage est un amour fou qui dure ou il n'est rien.

L'amour durable, ce n'est pas l'amour qui se maintient, c'est l'amour qui grandit avec le temps. Dans une telle aventure qui a peu à voir avec l'institution conjugale, tout, chaque jour se vit comme pour la première fois.

Il n'y a peut-être pas d'amour conjugal mais il y a eu un amour nuptial et c'est le plus grand.

Cet amour est sans retour, inconditionnel, à toute épreuve. Il engage contre vents et marées tout le corps et tout l'esprit. Quand un mariage est illuminé par cette fidélité dynamique, il devient le lieu d'une expérience mystique à l'état sauvage. Les époux vivent dans l'absolu et l'absolu vit en eux. L'alliance de leurs deux angoisses crée un espace d'espoir.

Utopie ? Sans doute mais c'est la plus réaliste de ces utopies que de vouloir faire durer le vertige, selon la loi secrète de l'univers qui est que les obstacles sont des moyens, que le continu se nourrit du discontinu, que l'union naîtra de la différence.

L'amour le plus fou est dans le mariage car un mariage vrai ose affirmer devant Dieu et devant les hommes que vivre, c'est avant tout, aider cet autre à vivre.

(Inédit)

(in *Apologie du mariage*, par Olivier Poivre d'Arvor,
Éd. de la Table Ronde, 1981)

SORËN KIERKEGAARD
(1813-1855)

ÉTAPES SUR LE CHEMIN DE LA VIE
(extraits)

Quelle étrange invention que le mariage ! Et ce qui le rend plus étrange encore, c'est qu'il passe pour une démarche spontanée. Et pourtant aucune démarche n'est aussi décisive... Un acte aussi décisif, il faudrait donc le faire spontanément.

(In vino veritas)

La difficulté est celle-ci : l'amour et l'inclination amoureuse sont tout à fait spontanés, le mariage est une décision ; cependant, l'inclination amoureuse doit être recueillie par le mariage ou par la décision ; vouloir se marier, cela veut dire que ce qu'il y a de plus spontané doit être en même temps la décision la plus libre ; et que ce qui à cause de la spontanéité est tellement inexplicable qu'on doit l'attribuer à une divinité doit en même temps avoir lieu en vertu d'une réflexion, et d'une réflexion tellement épuisante qu'une décision en résulte. En outre, une de ces choses ne doit pas suivre l'autre, la décision ne doit pas arriver parderrière à pas de loup, le tout doit avoir lieu simultanément, les deux choses doivent se trouver réunies au moment du dénouement.

(Propos sur le mariage)

(*Étapes sur le chemin de la vie*, Éd. Gallimard, 1948)
Traduit du danois par F. Prior et M.-H. Guignot

ALBERT MEMMI
(1920)

LE COUPLE
(extraits)

Tout couple est un miracle, mais le couple conjugal est le couple roi ; le duo le plus complet, qui va de la fusion des corps, chairs, humeurs et sangs, à celle des âmes : au point que l'on finit par posséder les mêmes microbes, les mêmes intonations et les mêmes rêves. Un duo si riche qu'il contient tous les autres et nous les fait pressentir. Si complexe qu'il aborde et doit résoudre l'ensemble des problèmes suscités par la cohabitation matérielle et spirituelle. Il connaît toutes les joies et toutes les souffrances du drame humain.

[...]

Je pourrais énumérer longuement les raisons qui me font admirer cette étonnante conjonction. Au fond, elles m'importent peu. Que cette merveilleuse machine fonctionne, je ne lui en demande pas plus. Je suis toujours frappé devant des seins de femme ; on me dit que c'est le rappel ému de ceux de ma nourrice ; soit ; mais l'important est que je le sois *maintenant* ; que les femmes en portent et nous les proposent à la caresse des yeux et des mains : cette coïncidence, actuelle, entre l'offre et la demande, je la juge miraculeuse. J'aime ardemment à placer mon membre central dans le chaud giron d'une femme : quelle merveille qu'une femme y consente et, même, y trouve une aise comparable !

[...]

D'abord, en son essence, ce geste est aussi une fécondation ; qui produit ce que toute notre science n'a toujours pas réussi : la vie ; le fabuleux surgissement d'un être nouveau ! Et puis, même si l'on n'y aboutissait pas, est-ce rien que cet ébranlement qui nous saisit, nous emporte plus vertigineusement que n'importe quoi au monde ? Pour lequel nous traverserions des fleuves, gravirions des montagnes, affronterions mille périls ? Cet acte, si étroitement charnel, est aussi celui qui contient le plus de troubles, le plus de rêves, dès ses prémices. Une étreinte n'est d'abord qu'un froissement d'étoffes ; mais l'imagination y tient déjà le premier rôle : c'est l'amorce de la poudre, d'où partira l'explosion. Aujourd'hui, j'approuve tout à fait les Anciens, qui ont sacralisé le sexe, lui élevant des statues, organisant des processions en son honneur. Devant cet émouvant mystère, ils voulaient marquer leur respect, reconnaissant et fasciné.

Toutefois, dans le couple il n'y a pas que le sexe.

[...]

Quelle est la nature de ces liens ? Si puissants qu'ils enchaînent quelquefois pour la vie ? Dont l'arrachement entraîne souvent de graves blessures ? J'ai envie de dire : ce sont les liens d'amour. Mais si l'on me demandait : « Qu'est-ce que l'amour ? », je répondrais : « C'est l'ensemble des liens qui fondent un couple. » Nous voilà bien avancés. Nous ne savons pas ce qu'est véritablement l'amour. Cela semble incroyable à propos d'un phénomène si répandu, dont nous avons une expérience directe, que l'on a tant décrit, chanté, peint.

(*Ce que je crois*, Éd. Grasset, 1985)

96

JULES ROMAINS
(1885-1972)

LA FORCE SOCIALE DU MARIAGE

Et le plus malin d'entre nous, qui, dans sa conscience claire, rit de M. le Maire, de son écharpe, n'attache sans doute pas, au fond de lui-même, sensiblement plus de valeur à tout ce qui dans le mariage est convention juridique, cérémonie, sanction administrative ou légale ; mais il est peut-être beaucoup plus touché qu'il ne croit par la lourde approbation sociale dont ces formes sont le signe. Sentir que l'énorme société, si dure d'habitude pour le plaisir de l'homme, sourit à votre rut et à vos spasmes, les encourage, les suppute, prête à s'étonner de leur modération, ce n'est pas rien, quoi qu'on s'en défende. Et quand on a dépassé une première zone d'images comiques, et d'idées agaçantes, la situation des «jeunes mariés» dans le monde social prend tout à coup une grandeur. On dirait que la société fait cercle autour d'eux, les isole et les protège à la fois, les excite par des signes et des cris. «Jetez-vous l'un sur l'autre, beau jeune mâle, belle jeune femelle. Pressez-vous, creusez-vous éperdument. Rassasiez-vous l'un de l'autre. Jouissez de partout. Plus rien n'est défendu. L'assemblée haletante jouit avec vous.» C'est peut-être aussi émouvant pour nos êtres profonds, aussi fouettant pour le jeune couple, que pour le taureau et le torero la place nue que la foule cerne. Et tout le temps que dure l'effet de ce sortilège, peut-il être question de remords, ou de lassitude ?

Je n'ai pas la sottise (trop facile) de le méconnaître. Et il ne me déplaît pas, après tout, de penser que dans les reins des jeunes mariés cette force-là s'ajoute à d'autres.

(*Le Dieu des corps*, Éd. Gallimard, 1928)

☩☩☩ Mariage civil

STANLEY CRAWFORD
(1937)

LES MAISONS

Tu peux éventuellement te dire que la maison représente le Mariage, de sorte qu'en édifiant tout d'abord la maison c'est également le Mariage que tu construis, avant même d'avoir pris Femme, ce qui est particulièrement avisé si tu réfléchis au genre d'inconvénient qui peut découler du fait d'aller s'installer dans une maison avant qu'elle ne soit construite. De même, tu auras ainsi la possibilité de faire visiter à celle qui sera ta Femme ta maison déjà construite, de sorte que vous pourrez vous rendre compte tous les deux, elle comme toi, si elle trouve la vue agréable, la maison pratique et confortable, et suffisamment grande. Si ta maison lui plaît et qu'elle est à sa convenance, tu as toutes raisons de penser qu'elle trouvera le Mariage agréable et à sa convenance lorsque tu l'auras prise pour Femme. Dans le même ordre d'idées, si elle critique ta maison et ne s'y sent pas à son aise, tu peux t'attendre à ce qu'elle critique également le Mariage et dans ce cas-là, tu ferais bien de lui conseiller d'aller voir ailleurs. Par conséquent, en commençant dès maintenant à t'exercer à construire ta maison avec des cubes de bois sur ton tas de sable, tu commences non seulement à édifier la maison de la réalité dans laquelle tu t'installeras un jour, mais tu commences aussi à construire ton Mariage...

(Catalogue raisonné de la vie domestique et conjugale,
Éd. Buchet-Chastel, 1980)
Traduit de l'américain par Nicole Tisserand

ROBERT MISRAHI
(1926)

L'AMOUR COMME RÉCIPROCITÉ

D'où provient le caractère somptueux de cette joie d'être et d'exister que seul peut conférer l'amour ?

C'est que la joie, ici, est induite par une reconnaissance réciproque impliquant des dimensions aussi riches que neuves. Dans cet amour tout autre, la reconnaissance n'est l'affirmation d'aucune suprématie, ni l'allégeance de personne à quiconque. Cette reconnaissance différente comporte deux significations, ou deux noyaux de sens qui concourent à la création de la joie en chacune des consciences concernées.

Dans cette forme intense et réfléchie de l'amour, chacun reconnaît d'abord en l'autre un *être semblable à lui-même* : l'autre est affirmé semblable à moi dans la mesure où il est comme moi un sujet et dans la mesure où il se situe dans l'existence selon les mêmes perspectives et les mêmes choix fondamentaux que moi-même. J'aime l'autre parce qu'il est un sujet existant semblable à moi-même. Non pas que j'aime en lui mon image, comme dans la passion narcissique, mais j'aime en lui le sujet qu'il est par lui-même en se construisant, comme moi, dans l'existence. La reconnaissance réciproque opère la même affirmation dans les deux sens, et il se crée ainsi un accord et une communauté active entre les deux consciences. La joie substantielle, ici, provient de la consistance et de la justification que l'autre me confère en m'affirmant comme valeur, et cette joie se redouble par le fait que cet autre qui me pose est le même que moi-même : il est une conscience, comme moi-même, et il opère des choix comparables à mes choix. Mais la richesse de l'amour heureux et réciproque est telle que la reconnaissance d'une similitude des existences s'accompagne sans contradiction de l'affirmation et de la reconnaissance de l'autre *comme autre* : il est affirmé par moi comme sujet autonome et indépendant. L'être aimé est ainsi reconnu, désiré et admiré dans sa spécificité, dans sa singularité individuelle. Il est, en outre, posé comme être libre qui opère librement, et à sa façon, les mêmes choix que moi-même, confirmant mes choix par les siens et accroissant ma liberté et ma joie par sa joie et par sa liberté.

(*Le Bonheur*, Éd. Hatier, 1994)

EMMANUEL DE SWEDENBORG
(1688-1772)

DE L'AMOUR CONJUGAL

L'amour conjugal est tellement le souverain bien, que nous sommes forcés de reconnaître sa supériorité jusques dans les vœux que nous formons pour sa durée. Quel est l'état sur la terre, dont la jouissance ne diminue pas le bonheur ? Les rois eux-mêmes ont-ils connu les douceurs de la royauté ? Esclaves dès le berceau de ces usages orgueilleux, dont la vanité bâtit les écha-fauds de leur grandeur, contrariés dans leur enfance, et trompés dans tous les âges, enivrés d'encens, fatigués, rebutés, dégoûtés de la vie, ils emportent dans le tombeau, moins le désir de vivre encore, que le regret d'avoir vécu. Eh que regretteriez-vous, monarques sans pouvoir, qui souvent respirez en naissant l'haleine du mensonge sur les lèvres de vos courtisans ? Que regretteriez-vous, esclaves couronnés ? Un sceptre, souvent pourri dans vos mains corrompues par l'ignorance de vos ministres et l'insolence de vos favoris ? Que regretteriez-vous enfin, vous-mêmes, rois sages et bienfaisants, princes amis de l'huma-nité, qui, après avoir percé le nuage des illusions qui vous environnent, pour reconnaître vos obligations et vos devoirs, n'y trouvez qu'un poids, qui vous assujettit, qu'un fardeau qui vous écrase, et qui malgré les honneurs qu'on vous rend, vous force à détester jusqu'à votre gloire, par le sang qu'elle a fait répandre ? Quel est donc celui qui content de son sort, a désiré d'en voir perpétuer la durée jusqu'au dernier terme de sa vie ? À plus forte raison, quel est celui qui voudrait le voir prolonger jusqu'à l'immensité des temps ? Il n'est donc que l'amour conjugal qui puisse nous donner l'idée d'un bonheur inépuisable. Il n'est donc que l'amour conjugal, tel qu'il doit être, qui puisse nous rendre supportable l'idée de l'éternité ; parce qu'indéterminé, indéfini comme elle, il n'est que l'amour conjugal, qui puisse suffire à l'immensité de nos désirs et au vide de nos cœurs.

(*Traité curieux des charmes de l'amour conjugal
dans ce monde et dans l'autre*, Éd. Slatkine, 1995)
Traduit du latin, en 1784, par M. de Brumore

LOUIS DE LA BOUILLERIE
(1922-2001)

LES FLEURS PEUVENT-ELLES NE PAS RÊVER AUX FRUITS ?

Il a souvent manqué aux fleurs d'amour, en notre temps, de rêver aux fruits. Il a manqué aux vignes de rêver aux grappes lourdes. Il a manqué aux fleurs de pommiers, toute fragiles dans le printemps glacé, l'assurance que la saison d'été mûrirait des fruits juteux sans craindre de perdre les pétales. Il a manqué aux branches d'amandiers en fleur, qui criaient la vie sur un nuage noir ou sur un ciel tout bleu, de rêver à l'amande dure et aux dragées de la naissance.

C'est pourquoi il faut chanter aux mariages, non pas seulement les fleurs qui ne donnent que des fleurs, mais celles qui ne se comprennent qu'en leurs fruits.

Il s'agit pour l'homme et pour la femme de rêver dans le bouillonnement de vie qui les arrache à eux-mêmes et les jette ensemble dans le devenir du monde. Le couple voyageur qui ne rêve pas de découvrir la cité radieuse où bonjour voudrait dire « bon-jour » restera à la gare à calculer le prix de ce voyage. Celle-là qui n'a pas rêvé de dormir au creux d'une maison construite à deux, épaulée au nord par un tas de bois capable d'entretenir le feu pour les enfants et les passants durant l'hiver, restera chez elle à lire un roman fleuve.

(*Les Noces de l'été*, Éd. du Cerf, 1986)

JULES MICHELET
(1798-1874)

LE MARIAGE
(extraits)

On s'occupe trop de la robe, pas assez de la fille. Père, mère, amies et le fiancé même, tous dans l'agitation de vains préparatifs et de mille riens, négligent précisément celle qui semble le but de tout.

Comment se porte-t-elle à ce moment de trouble, à la veille d'une pareille épreuve ?

D'abord elle ne dort guère. On croira, par fatuité, que c'est d'impatience. Généralement, c'est le contraire, La chose la plus désirée, quand elle approche, remplit souvent de crainte et de tristesse, surtout quand il s'agit de déraciner en une fois et de quitter toutes ses habitudes, quand on se voit au seuil d'un si vaste inconnu.

[...]

Jeune homme, lis bien ceci tout seul, et non avec cet étourdi de camarade que je vois derrière toi, qui lit par-dessus ton épaule. Si tu lis seul, tu liras bien, tu sentiras ton cœur.

[...]

Au mariage, ton bonheur est immense, mais combien sérieux ! Respecte-le. Ouvre ton cœur à la gravité sainte de l'adoption que tu vas faire, à l'infinie tendresse que réclame de toi celle qui vient à toi, toute seule et dans une confiance infinie.

[...]

C'est toute sa pensée, sa foi et son espoir, pendant qu'elle avance chancelante et si belle de sa pâleur dans sa fraîche toilette. Elle sait bien qu'elle n'est plus chez elle, et pas encore chez toi. Elle flotte entre deux mondes.

Sais-tu bien, dans ce moment de trouble, que tu es partagé entre deux idées très contraires ? Tu ne comprends ni toi, ni elle. Cette blanche statue, que tu couves des yeux, si touchante, si attendrisante, qui a peur de paraître avoir peur et garde aux

103

lèvres un sourire pâlissant... tu t'imagines la connaître, et elle te reste une énigme.

Celle-ci, c'est la femme moderne, une âme et un esprit. La femme antique était un corps. Le mariage n'étant, dans ces temps-là, qu'un moyen de génération, on choisissait, on prenait pour épouse une fille forte, une fille rouge (rouge et belle sont synonymes dans les langues barbares).

[...]

Au mariage moderne, qui est surtout le mélange des âmes, l'âme est l'essentiel. La femme que rêve le moderne, délicate, éthérée, n'est plus cette fille rouge. Il est dans sa parole émue, et parfois scintillante ; il est surtout dans ce profond regard d'amour qui tantôt enlève et enchante, tantôt trouble, et plus souvent touche, va au cœur et ferait pleurer.

Voilà ce que nous aimons, rêvons, poursuivons, désirons. Et maintenant, au mariage, par une bizarre inconséquence, nous oublions tout cela, et nous cherchons la fille des fortes races, la vierge des campagnes, qui, surtout dans nos villes, oisive et sur-nourrie, aurait en abondance la rouge fontaine de vie.

[...]

Ta fiancée n'a craint rien plus que d'avoir les charmes vulgaires auxquels tu tiens tant aujourd'hui. Tu parlais si bien d'amour pur ! Elle aurait voulu être diaphane. Elle a cru que tu désirais ici-bas un être aérien et ne lui voulais que des ailes...

(*L'Amour*, Éd. Calmann-Lévy, 1929)

JEAN DE LA FONTAINE
(1621-1695)

LA FILLE

Certaine Fille, un peu trop fière,
Prétendait trouver un mari
Jeune, bien fait et beau, d'agréable manière,
Point froid et point jaloux : notez ces deux points-ci.
    Cette Fille voulait aussi
    Qu'il eût du bien [1], de la naissance,
De l'esprit, enfin tout. Mais qui peut tout avoir ?
Le Destin se montra soigneux de la pourvoir :
    Il vint des partis d'importance.
La belle les trouva trop chétifs [2] de moitié :
« Quoi ? moi ! quoi ? ces gens-là ! l'on radote, je pense.
À moi les proposer ! hélas ! ils font pitié :
    Voyez un peu la belle espèce ! »
L'un n'avait en l'esprit nulle délicatesse ;
L'autre avait le nez fait de cette façon-là :
    C'était ceci, c'était cela ;
    C'était tout, car les précieuses [3]
    Font dessus tout [4] les dédaigneuses.
Après les bons partis, les médiocres gens
    Vinrent se mettre sur les rangs.
Elle de se moquer. « Ah ! vraiment je suis bonne
De leur ouvrir la porte ! Ils pensent que je suis
    Fort en peine de ma personne :
    Grâce à Dieu, je passe les nuits
    Sans chagrin, quoique en solitude. »

---

1. De la fortune.
2. Malheureux, à plaindre ; le terme ne concernait pas le physique ; sens : ils n'ont pas la moitié des qualités requises.
3. Celles qui, dans un souci extrême de perfection, retardaient leur mariage.
4. Par-dessus tout.

La belle se sut gré [1] de tous ces sentiments ;
L'âge la fit déchoir : adieu tous les amants [2].
Un an se passe, et deux, avec inquiétude ;
Le chagrin vient ensuite ; elle sent chaque jour
Déloger [3] quelques Ris [4], quelques Jeux, puis l'Amour ;
      Puis ses traits choquer et déplaire ;
Puis [5] cent sortes de fards. Ses soins ne purent faire
Qu'elle échappât au temps, cet insigne [6] larron [7].
      Les ruines d'une maison
Se peuvent réparer : que n'est cet [8] avantage
      Pour les ruines du visage ?
Sa préciosité changea lors [9] de langage.
Son miroir lui disait : « Prenez vite un mari. »
Je ne sais quel désir le lui disait aussi :
Le désir peut loger chez une précieuse.
Celle-ci fit un choix qu'on n'aurait jamais cru,
Se trouvant à la fin tout aise et tout heureuse
      De rencontrer un malotru [10].

(Livre VII)

(Fables, Librairie générale française, 1972*)*

---

1. Se félicita.
2. Au sens classique de personnes qui font leur cour.
3. S'en aller, quitter la place.
4. Rires ; désigne, avec les jeux, les plaisirs de la jeunesse.
5. Puis elle utilise.
6. Remarquable et illustre.
7. Voleur.
8. Pourquoi n'y a-t-il pas le même (avantage) ?
9. Alors.
10. Homme mal fait, qui a tous les défauts (et pas seulement mal élévé).

NOCES

L'homme quittera son père et sa mère,
il s'attachera à sa femme,
et tous deux ne feront plus qu'un.

La Bible (Genèse 2, 24)

Enfin vous voilà donc,
Ma belle mariée,
Enfin vous voilà donc
À votre époux liée
Avec un long fil d'or
Qui ne rompt qu'à la mort.

Chanson de la mariée

VICTOR HUGO
(1802-1885)

LA NUIT BLANCHE
(extrait)

C'était le mariage sublimé ; ces deux enfants étaient deux lys. Ils ne se voyaient pas, ils se contemplaient. Cosette apercevait Marius dans une gloire ; Marius apercevait Cosette sur un autel. Et sur cet autel et dans cette gloire, les deux apothéoses se mêlant, au fond, on ne sait comment, derrière un nuage pour Cosette, dans un flamboiement pour Marius, il y avait la chose idéale, la chose réelle, le rendez-vous du baiser et du songe, l'oreiller nuptial.

Tout le tourment qu'ils avaient eu leur revenait en enivrement. Il leur semblait que les chagrins, les insomnies, les larmes, les angoisses, les épouvantes, les désespoirs, devenus caresses et rayons, rendaient plus charmante encore l'heure charmante qui approchait ; et que les tristesses étaient autant de servantes qui faisaient la toilette de la joie. Avoir souffert, comme c'est bon ! Leur malheur faisait auréole à leur bonheur. La longue agonie de leur amour aboutissait à une ascension.

C'était dans ces deux âmes le même enchantement, nuancé de volupté dans Marius et de pudeur dans Cosette. Ils se disaient tout bas : nous irons revoir notre petit jardin de la rue Plumet. Les plis de la robe de Cosette étaient sur Marius.

Un tel jour est un mélange ineffable de rêve et de certitude. On possède et on suppose. On a encore du temps devant soi pour deviner. C'est une indicible émotion ce jour-là d'être à midi et de songer à minuit.

(Les Misérables, Éd. Flammarion, 1999*)*

ÉLIETTE ABÉCASSIS
(1969)

LA NUIT, J'ÉTAIS SUR LE LIT...

La nuit, j'étais sur le lit avec mon époux. Il a dégrafé ma robe blanche, puis il a enlevé sa chemise. Il ne m'a pas fait violence. Il m'a caressée à l'intérieur, son cœur sur mon cœur avait la couleur du sable, la couleur du miel, la couleur du jour, il était blanc comme les nuits, les nuits d'amour sous les petits jours, comme l'écume blanche de l'eau, il était savoureux et tendre comme l'eau qui enveloppe le corps purifié. Il était brillant comme un argent doré ; à la lueur de l'aube, il était brillant.

C'était dans la ténèbre. Il m'a approchée, frôlée, renversée. J'ai senti son âme. Mon corps, léger, s'est élevé doucement au-dessus du monde, j'ai volé, je me suis posée et j'ai flotté. Il m'a dit : « Ouvre les yeux. » Je les ai ouverts. Il m'a dit : « Regarde-moi. » Je l'ai regardé. Il m'a dit : « Je t'aime, Rachel, pour toujours. »

(*La Répudiée*, Éd. Albin-Michel, 2000)

GUY DE MAUPASSANT
(1850-1893)

UNE VIE
(extraits)

Mariée ! Ainsi elle était mariée ! La succession de choses, de mouvements, d'événements accomplis depuis l'aube lui paraissait un rêve, un vrai rêve. Il est de ces moments où tout semble changé autour de nous ; les gestes même ont une signification nouvelle ; jusqu'aux heures, qui ne semblent plus à leur place ordinaire.

Elle se sentait étourdie, étonnée surtout. La veille encore rien n'était modifié dans son existence ; l'espoir constant de sa vie devenait seulement plus proche, presque palpable. Elle s'était endormie jeune fille ; elle était femme maintenant.

Donc elle avait franchi cette barrière qui semble cacher l'avenir avec toutes ses joies, ses bonheurs rêvés. Elle sentait comme une porte ouverte devant elle ; elle allait entrer dans l'Attendu.

La cérémonie finissait. On passa dans la sacristie presque vide ; car on n'avait invité personne ; puis on ressortit.

Quand ils apparurent sur la porte de l'église, un fracas formidable fit faire un bond à la mariée et pousser un grand cri à la baronne : c'était une salve de coups de fusil tirée par les paysans ; et jusqu'aux Peuples les détonations ne cessèrent plus.

[...]

Jeanne et Julien traversèrent le bosquet, puis montèrent sur le talus, et, muets tous deux, se mirent à regarder la mer. Il faisait un peu frais, bien qu'on fût au milieu d'août ; le vent du nord soufflait, et le grand soleil luisait durement dans le ciel tout bleu...

Julien effleura son oreille de sa bouche : « Ce soir vous serez ma femme. »

Quoiqu'elle eût appris bien des choses dans son séjour aux champs, elle ne songeait encore qu'à la poésie de l'amour, et fut surprise. Sa femme ? ne l'était-elle pas déjà ?

Alors il se mit à l'embrasser à petits baisers rapides sur la tempe et sur le cou, là où frisaient les premiers cheveux. Saisie chaque fois par ces baisers d'homme auxquels elle n'était point habituée, elle penchait instinctivement la tête de l'autre côté pour éviter cette caresse qui la ravissait cependant.

[...]

Il retira le bras dont il serrait sa taille, et, en se tournant tous deux, ils se trouvèrent face à face, si près qu'ils sentirent leurs haleines sur leurs visages ; et ils se regardèrent. Ils se regardèrent d'un de ces regards fixes, aigus, pénétrants, où deux âmes croient se mêler. Ils se cherchèrent dans leurs yeux, derrière leurs yeux, dans cet inconnu impénétrable de l'être ; ils se sondèrent dans une muette et obstinée interrogation. Que seraient-ils l'un pour l'autre ? Que serait cette vie qu'ils commençaient ensemble ? Que se réservaient-ils l'un à l'autre de joies, de bonheurs ou de désillusions en ce long tête-à-tête indissoluble du mariage ? Et il leur sembla, à tous les deux, qu'ils ne s'étaient pas encore vus.

Et tout à coup, Julien, posant ses deux mains sur les épaules de sa femme, lui jeta à pleine bouche un baiser profond comme elle n'en avait jamais reçu. Il descendit, ce baiser, il pénétra dans ses veines et dans ses moelles...

(*Une vie*, Éd. Gallimard, 1974)

RACAN
(1589-1670)

ÉPITHALAME

Cueillez, Amants, le fruit de vos services,
Que dans vos cœurs la joie et les délices
    Reviennent à leur tour;
Et que l'ardeur dont votre âme est saisie
Fasse brûler le Ciel de jalousie,
    Et la terre d'amour.

Voici la nuit si longtemps différée
Qui vient alors qu'elle est moins espérée
    Accomplir vos désirs:
Témoignez-y que toutes ces tempêtes
En augmentant l'honneur de vos conquêtes
    Augmentent vos plaisirs.

L'obscurité vous ôtera de crainte,
C'est où vos yeux jouiront sans contrainte
    Du loyer de leur foi:
Cache-toi donc, unique feu du monde,
Éteins le jour, et remporte dans l'onde
    La honte avecque toi.

Ne souffre point que ta flamme importune
S'oppose tant à la bonne fortune
    De deux autres Soleils:
Hâte ton cours, la raison t'en convie,
Ou l'on dira que tu portes envie
    À l'heur de tes pareils.

(Les Bergeries)

(Les Bergeries et autres poésies lyriques, Éd. Garnier, 1929)

CHRÉTIEN DE TROYES
(1135-1183)

LA JOIE AU MARIAGE D'ÉREC

La joie fut immense dans le palais et je ne vous parlerai pas du surplus. Mais je vous apprendrai quelle joie et quel plaisir il y eut cette nuit-là dans la chambre et dans le lit quand vint le moment de s'unir. Évêques et archevêques étaient présents. À cette première nuit d'union Énide ne fut pas enlevée et Brangien ne la remplaça pas. La reine Guenièvre s'est occupée des préparatifs du coucher car elle aimait beaucoup Érec et Énide. Le cerf poursuivi qui halète de soif ne désire pas autant la fontaine et l'épervier affamé ne vient pas aussi volontiers à l'appel qu'ils n'étaient pressés d'être dans les bras l'un de l'autre. Cette nuit-là ils ont bien rattrapé le temps qu'ils avaient attendu. Quand la chambre fut vide ils rendirent à chaque membre ce qu'ils lui devaient. Les yeux prennent du plaisir à regarder, eux qui créent la joie d'amour, eux qui portent le message au cœur et tout ce qu'ils voient leur est tellement agréable. Après le message des yeux vient la douceur encore bien plus grande des baisers qui provoquent l'amour. Tous deux éprouvent cette douce joie dont ils rafraîchissent tellement l'intérieur de leur cœur qu'ils séparent leurs lèvres à grand-peine.

(*Érec et Énide*, Éd. Champion, 1953)

114

ALICE FERNEY
(1967)

L'ÉLÉGANCE DES VEUVES
(extrait)

Et donc ainsi faite, c'est-à-dire écrasée sous son voile, enfermée dans sa robe, accompagnée par son parrain, bien droite, et bonne marcheuse avec ce pas trop énergique pour être élégant, déjà femme sans peur et sans faiblesse, mère par le désir, et presque veuve par le souvenir d'une autre, Mathilde s'avançait vers son époux, qui l'attendait près des larges fauteuils de velours rouge installés au pied de l'autel. Il avait un sourire pincé cet époux, et elle qui était naturelle manqua déjà rire de lui. Elle eut l'envie de lui dire que cet instant était le moins important, le plus facile surtout, qu'après tout resterait à bâtir, ou du moins leur sentiment à ne pas détruire. C'était à cela qu'elle pensait : non pas à cette alliance qu'ils allaient célébrer, mais à celle qu'ils allaient révéler, aux nuits partagées, aux étreintes aujourd'hui imaginaires, aux enfants qui viendraient, aux repas qu'ils prendraient, eux deux indéfiniment face à face, leur corps-à-corps répété lui aussi, aux femmes qu'il désirerait peut-être et qui ne seraient pas Mathilde, à ce qu'en lui elle n'aimerait pas... Mathilde avait cette clairvoyance, si impensable de la part d'une jeune femme que jamais à personne elle ne l'avait confiée. Mais le prêtre s'avançait vers eux pour les accueillir et les bénir, et Mathilde à qui il venait de faire signe de s'asseoir, tout de même fut émue d'être là maintenant aux côtés de son cousin aimé, pour lui donner sa vie son ventre et sa fidélité...

(*L'Élégance des veuves*, Éd. Actes Sud, 1995)

MAURICE DE GUÉRIN
(1810-1839)

LE CŒUR SOLITAIRE
(extrait)

Adam, le front rougi du soleil levant, rêve
Auprès du corps humide et voluptueux d'Ève.
Ève dort sur un lit fléchissant de roseaux,
Dans l'azur frais, au bruit du feuillage et des eaux.
Ève est nue, Ève est blanche, Ève a les lignes pures
Des longs cygnes cambrés aux neigeuses voilures.
Comme une aile elle agite un bras, puis l'autre, et rit.
Sa bouche, rose en feu, lente à s'ouvrir, fleurit.
Ève est nue ; elle dort. Sa chevelure blonde
Sur ses formes répand les mollesses d'une onde.
Son haleine paisible élève un double fruit
Gonflé qui tour à tour se rapproche et se fuit.
Adam parcourt des yeux sa fille et la convoite.
Il ose la flatter d'une main maladroite.
Jamais dans la nature heureuse il n'a connu
Le délice qu'il goûte à toucher ce sein nu.
Les cheveux qu'il respire ont une odeur obscure ;
Ni le miel, ni le col des cygnes qu'il capture,
Ni la feuille du lys, ni l'enivrant pollen,
Ne lui semblent si doux sous le ciel de l'Éden
Que cette large fleur de chair épanouie.
Il la caresse encor d'une vue éblouie,
Y porte son désir de contour en contour ;
Enfin, docile aux lois secrètes de l'amour
Qui font qu'un même nid cache deux tourterelles
Et que les fleurs de loin se fécondent entre elles,
Adam, fort de la joie immortelle du sang,
Presse le corps promis, et déjà rougissant,
D'un long baiser qui laisse une trace vermeille,
Ève, les bras ouverts au jeune époux, s'éveille.

(*Le Cœur solitaire*, Éd. Mercure de France, 1904)

ALPHONSE DAUDET
(1840-1897)

UNE NOCE CHEZ VÉFOUR
(extrait)

Pour rien au monde, Risler n'aurait voulu pleurer en ce moment – voyez-vous ce marié s'attendrissant en plein repas de noces ! Pourtant il en avait bien envie. Son bonheur l'étouffait, le tenait par la gorge, empêchait les mots de sortir. Tout ce qu'il pouvait faire, c'était de murmurer de temps en temps avec un petit tremblement de lèvres : «Je suis content... Je suis content...»
Il avait de quoi l'être, en effet.

Depuis le matin, le pauvre homme se croyait emporté par un de ces rêves magnifiques dont on craint de se réveiller subitement, les yeux éblouis ; mais son rêve, à lui, ne semblait jamais devoir finir. Cela avait commencé à cinq heures du matin, et à dix heures du soir, dix heures très précises à l'horloge de Véfour, cela durait encore...

Que de choses dans cette journée, et comme les moindres détails lui restaient présents !

Il se voyait au petit jour, arpentant sa chambre de vieux garçon dans une joie mêlée d'impatience, la barbe déjà faite, l'habit passé, deux paires de gants blancs en poche... Maintenant voici les voitures de gala, et dans la première là-bas – celle qui a des chevaux blancs, des guides blanches, une doublure de damas jaune – la parure de la mariée s'apercevant comme un nuage... Puis l'entrée à l'église, deux par deux, toujours le petit nuage blanc en tête, flottant, léger, éblouissant... L'orgue, le suisse, le sermon du curé, les cierges éclairant des bijoux, des toilettes de printemps... Et cette poussée de monde à la sacristie, le petit nuage blanc, perdu, noyé, entouré, embrassé, pendant que le marié distribue des poignées de main à tout le haut commerce parisien venu là pour lui faire honneur...

(Fromont jeune et Risler aîné)

(Œuvres, Éd. Gallimard, 1986)

EDMUND SPENSER
(1549 ou 1552-1599)

ÉPITHALAME
(extraits)

Ouvrez les portes de l'église à mon amour,
Pour sa prochaine entrée ouvrez-les toutes grandes ;
Décorez les montants de feuillage alentour
Et parez les piliers des plus fraîches guirlandes,
Pour offrir à la Sainte un accueil glorieux
Qui s'en vient vers ces lieux...

Debout devant l'autel voyez-la se tenir,
Oyant le blanc pasteur qui l'exhorte et la loue
Et ses heureuses mains étend pour la bénir ;
Une rose, voyez, lui rougit chaque joue
Et pose dans sa neige un si pourpre rayon,
Un si vif vermillon,
Que les anges commis à la garde fidèle
Du sanctuaire, changeant leur adoration,
S'en viennent ébahis voltiger autour d'elle,
Et son front reflétant leur sourire enchanté
Redouble de beauté...

C'est fini, ramenez l'épouse de l'église,
Ramenez au logis mon triomphe, ma gloire,
Ramenez au logis celle que j'ai conquise,
Parmi des cris de joie et des chants de victoire.
Jamais homme comblé de bienfaits par les cieux
Ne vit jour plus joyeux ;
Faites donc de ce jour entier un long festin,
Car ce jour est sacré pour jamais à mes yeux.
Sans faute et sans arrêt versez à flots le vin ;
Ne le versez par coupe, mais à pleine ventrée,
Versez à toute la contrée ;

Pour qu'ils suent de liqueur et d'ivresse inondés.
Éclaboussez de vin les piliers et les murs ;
Couronnez-moi le dieu Bacchus de raisins mûrs
Et de festons de vigne Hymen enguirlandez ;
Que les Grâces aussi, carolant en cadence,
Viennent mener la danse ;
Les vierges cependant chanteront l'air de joie
Dont le bois au loin retentit et que l'écho renvoie...

Ah ! que ce long jour tarde à terminer sa course !
Quand aurai-je congé d'aller vers mon amour ?
Ah ! que l'heure à regret ses minutes débourse !
Que les ailes du Temps ont un vol lent et lourd !
Hâte-toi, hâte-toi, bel astre souverain,
De plonger dans le flot marin ;
Tes coursiers fatigués ont besoin de leur lit...
Si long soit-il, je vois le jour baisser enfin,
Et l'étoile du soir au cimier d'or jaillit
Dans l'orient pâli.
Douce lampe d'amour, fille de la beauté,
Qui mènes tous les rangs des cohortes sans nombre
Et guides les amants dans les terreurs de l'ombre,
Oh ! que versent tes yeux une heureuse clarté !
Tu sembles rire avec ta lueur scintillante
À la gaieté bruyante
De la foule poussant ces clairs éclats de joie
Dont le bois au loin retentit et que l'écho renvoie...

Jeunes filles, cessez vos ris et vos ébats ;
À vous fut tout ce jour de gaieté variée,
Or, ce jour est fini, la nuit vient à grands pas ;
Dans sa chambre à présent menez la mariée.
Sus, déshabillez-la ; sur le lit où se déploie
La courtine de soie,
Couchez son corps charmant dans le parfum des draps,
Semez la violette et le lys à cœur joie,
Et sur elle étendez les couvre-pieds d'Arras...

Jeunes filles, c'est nuit et vous pouvez partir,
Laissez-la seule à mon désir,

Et laissez aussi bien votre clameur de joie
Que plus la forêt ne redit ni l'écho ne renvoie.

Nuit, sois la bienvenue, ô Nuit tant appelée,
Qui rachètes enfin les longs labeurs du jour
Et qui par la langueur de ta grâce voilée
Annules mes longs mois de douloureux amour,
Sur mon amour et moi ta grande aile déplie,
Pour que nul œil ne nous épie ;
Que de ses amples pans ton manteau nous protège
Contre peur et péril et terreur accroupie !...

Que le Silence monte une garde attentive
Pour qu'en sécurité règne la paix sereine,
Et que le doux Sommeil, lorsque son heure arrive,
S'étende mollement sur ta plaisante plaine,
Tandis que cent petits Amours aux vives ailes
Tout pareils à des colombelles,
À l'entour de ton lit voltigent en essaim,
Et, dans l'ombre indulgente à leurs jeunes cautèles,
Risquent plus d'un clin d'œil et d'un gentil larcin,
En leurs filets jolis s'efforçant à saisir
De douces bribes de plaisir...

(in *Le Livre d'or des épithalames ou chants nuptiaux*,
par Jean-Michel Girard, Éd. Complicités, 1999)

AUSONE
(v. 310-v. 385)

CENTON NUPTIAL

Le jour désiré paraît, et pour l'heureux hyménée se rassemblent les mères, les pères, et les enfants sous les yeux de leurs parents. On prend place sur des tapis de pourpre. Des esclaves versent l'onde sur les mains des convives, chargent les corbeilles des dons préparés de Cérès, et apportent les grasses entrailles des animaux rôtis. Une longue suite de mets se succèdent...

La faim apaisée et l'appétit satisfait, on apporte de larges coupes, on verse la liqueur de Bacchus. Les chants sacrés résonnent. Les danseurs frappent la terre en cadence ; on récite des vers. Le chantre de la Thrace, vêtu d'une longue robe, fait parler en nombres harmonieux les sept voix de la lyre. D'un autre côté la flûte fait entendre sa double mélodie...

Enfin se montre celle qui est si digne de la sollicitude de Vénus ; déjà mûre pour l'hymen et dans ses pleines années de puberté, elle a les traits et le maintien d'une vierge ; une vive rougeur colore ses joues et court sur son visage qu'elle enflamme. Son œil fixe étincelle, et brûle du regard. Toute la jeunesse, toutes les mères accourues en foule de leurs champs et de leurs demeures, admirent sa démarche et la blancheur de son pied qui effleure la terre, et sa chevelure qu'elle laisse flotter au gré des vents. Elle porte un vêtement que nuance un tissu d'or, parure de la Grecque Hélène. Telle la blonde Vénus aime à se découvrir aux yeux des Immortels, telle on la voit paraître joyeuse, elle se dirige vers sa nouvelle famille et va s'asseoir sur un trône élevé.

D'un autre côté s'avance sous les hauts portiques le jeune époux dont un premier duvet ombrage à peine le visage. Il porte la chlamyde brodée d'or où serpente en double méandre la bordure circulaire de pourpre de Mélibée, et la tunique que sa mère a tissée de fils d'or. Il a les traits, les épaules d'un dieu, et l'éclat de la jeunesse. Tel, baigné des eaux de l'Océan, Lucifer dresse vers le ciel son front sacré ; tel il paraît levant le front et les yeux. Dans son transport il s'élance vers le seuil ; embrasé d'amour, il attache ses lèvres sur les joues de la jeune vierge, y cueille un baiser, et la presse longtemps entre ses bras...

Arrivés enfin sous les voûtes de pierre de la chambre nuptiale, ils se livrent en liberté à de doux entretiens ; ils se rapprochent, enlacent leurs mains et se placent sur la couche. Mais Cythérée, et Junon qui préside à l'hymen, sollicitent des exploits nouveaux et les excitent à commencer des combats inconnus. L'époux échauffe la jeune fille de ses tendres caresses, et soudain embrasé de cette flamme accoutumée du lit conjugal : « Ô vierge, beauté nouvelle pour moi, gracieuse compagne, tu es enfin venue, toi mes seules délices, si longtemps attendues ! Ô douce compagne, ce n'est point sans la volonté des dieux que ce bonheur nous arrive ; pourras-tu combattre un amour qui te plaît ? »...

(in *Le Livre d'or des épithalames ou chants nuptiaux*,
par Jean-Michel Girard, Éd. Complicités, 1999)

ÉMILE ZOLA
(1840-1902)

LE RÊVE
(extraits)

À dix heures, les orgues grondèrent, Angélique et Félicien entraient, marchant à petits pas vers le maître-autel, entre les rangs pressés de la foule. Un souffle d'admiration attendrie fit onduler les têtes. Lui, très ému, passait fier et grave, dans sa beauté blonde de jeune dieu, aminci encore par la sévérité de l'habit noir. Mais elle, surtout, soulevait les cœurs, si adorable, si divine, d'un charme mystérieux de vision. Sa robe était de moire blanche, simplement couverte de vieilles malines, que retenaient des perles, des cordons de perles fines dessinant les garnitures du corsage et les volants de la jupe. Un voile d'ancien point d'Angleterre, fixé sur la tête par une triple couronne de perles, l'enveloppait, descendait jusqu'aux talons. Et rien autre, pas une fleur, pas un bijou, rien que ce flot léger, ce nuage frissonnant, qui semblait mettre dans un battement d'ailes sa petite figure douce de vierge de vitrail, aux yeux de violette, aux cheveux d'or.

[...]

Puis, vinrent les demandes du rituel, les réponses qui lient pour l'existence entière, le « oui » décisif, qu'elle prononça, émue, du fond de son cœur, qu'il dit plus haut, avec une gravité tendre.

[...]

Mais il restait à bénir l'anneau, qui est le symbole de la fidélité inviolable, de l'éternité du lien... C'était l'union étroite, sans fin, le signe de dépendance porté par elle, qui lui rappellerait constamment la foi jurée ; c'était aussi la promesse d'une longue suite d'années communes, comme si ce petit cercle d'or les attachait jusqu'à la tombe.

[...]

À ce moment, la cathédrale entière exulta. Les orgues entamèrent la marche triomphale, dans un tel éclat de foudre, que le vieil édifice en tremblait. Frémissante, la foule était debout, se haussait pour voir ; des femmes montaient sur les chaises, il y avait des rangs pressés de têtes, jusqu'au fond des chapelles noires des collatéraux ; et tout ce peuple souriait, le cœur battant. Les milliers de cierges, en cet adieu final, semblaient brûler plus haut, allongeant leurs flammes, des langues de feu dont vacillaient les voûtes. Un dernier hosanna du clergé montait, dans les fleurs et les verdures, au milieu du luxe des ornements et des vases sacrés. Mais, tout d'un coup, la grand-porte, sous les orgues, ouverte à deux battants, troua le mur sombre d'une nappe de plein jour. C'était la claire matinée d'avril, le vivant soleil du printemps, la place du Cloître avec ses gaies maisons blanches ; et là, une autre foule attendait les époux, plus nombreuse encore, d'une sympathie plus impatiente, agitée déjà de gestes et d'acclamations. Les cierges avaient pâli, les orgues couvraient de leur tonnerre les bruits de la rue.

Et, d'une marche lente, entre la double haie des fidèles, Angélique et Félicien se dirigèrent vers la porte. Après le triomphe, elle sortait du rêve, elle marchait là-bas, pour entrer dans la réalité...

(*Les Rougon-Macquart*, Éd. Fasquelle, 1971)

MARCEL PRÉVOST
(1862-1941)

LE MARIAGE DE JULIENNE
(extraits)

La dernière nuit ! Malgré les fiançailles, malgré la cour régulière, malgré l'achat du trousseau, les courses chez les fournisseurs, les interminables préparatifs de notre installation, malgré tout, je ne m'étais pas persuadée qu'elle arriverait si tôt, ma dernière nuit de jeune fille... Et m'y voilà venue ; et même, devant la société, je suis femme déjà, puisque cette après-midi le maire du huitième arrondissement m'a unie au baron de Nivert. Femme ? Oh ! non ! Les paroles du monsieur tricolore n'ont rien changé à la petite Julienne d'hier. Évoqué presque jour à jour par tout ce qui remplit cette chambre aimée, mon passé de jeune fille tient encore étroitement au présent. Mais demain ! Demain, à la même heure, j'entrerai dans une autre chambre, où les murs, les meubles, les portraits raconteront une histoire étrangère à moi... où rien de mon cher passé ne me suivra... Et je n'y entrerai pas seule.

[...]

Je n'ai pas demandé à mon mari de renseignements sur l'installation qu'il nous prépare pour ce premier tête-à-tête d'époux ; mais je suis hantée par le souvenir d'une certaine chambre du premier étage, à Croix-de-Nivert, immense, avec d'immenses meubles Louis XV rocaille, surtout un immense lit. Je me souviens que quand nous la visitâmes, le baron se pencha et dit à l'oreille de maman (pas assez bas) :

« Ceci est une chambre historique dans notre famille, la chambre des noces... »

Il paraît que toutes les baronnes de Nivert, depuis cent cinquante ans, ont perdu dans le lit rocaille ce qu'on a coutume de perdre le soir des épousailles. J'imagine qu'il n'y aura pas exception pour la baronne Julienne.

[...]

Je viens de relire sur ce cahier, intact, depuis huit jours, ce que j'écrivais la nuit qui précéda mon mariage. Et j'ai bien ri ! Ah ! Les pronostics des jeunes filles, de celles même qui, comme moi, ne furent pas de simples colombes ! Dire que je prétendais, en ma petite cervelle, organiser l'aventure, guider à mon gré la fantaisie d'un homme comme le baron ! Pauvre innocente !... Le lit rocaille, ouvert et vide en ce moment, près de la table où j'écris, un rayon de soleil matinal jouant dans les draps un peu fripés, a l'air de se moquer de moi.

– Eh bien, petite Julienne, voilà que c'est fait ! Une fois de plus, j'ai rendu femme une baronne de Nivert... Tu y as mis le temps, petite Julienne, – plus d'une semaine !... Mais pourtant, c'est fait... On ne résiste pas au lit rocaille...

Ainsi me parle le grand lit, tombeau des ignorances de ces quatre femmes diversement vêtues et poudrées, dont les portraits minaudent au mur ; tombeau de mon ignorance aussi. Et je ne lui en veux pas. Je sais maintenant que c'est un ami...

(*Le Mariage de Julienne*, Éd. Fayard)

CATULLE
(v. 60 av. J.-C.)

ÉPITHALAME DE JUNIE ET MANLIUS
(extraits)

Ô habitant de la colline d'Hélicon, fils d'Uranie, toi qui entraînes vers son époux la tendre vierge.
Ô Hyménée Hymen, ô Hymen Hyménée !
Ceins tes tempes des fleurs de la marjolaine embaumée, prends joyeusement ton voile couleur de flamme et viens ici, viens, portant à tes pieds de neige le jaune brodequin.

Excité par l'allégresse de cette journée, chantant l'hymne nuptial de ta voix argentine, frappe la terre de tes pieds, secoue dans ta main la torche de pin.
C'est que Junie épouse Manlius...

Sors, nouvelle épouse, si tu veux bien, et écoute mes paroles. Vois comme les flambeaux secouent leurs chevelures d'or ; sors, nouvelle épouse.

Jamais ton époux ne sera assez volage pour s'abandonner à des adultères coupables et pour poursuivre de honteuses débauches, jamais il ne voudra reposer loin de tes seins délicats.

Mais, comme la vigne flexible enlace les arbres voisins, tu l'enlaceras de tes bras. Mais le jour fuit ; sors nouvelle épouse.

Quelles joies se préparent pour ton maître, que de joies il va goûter pendant la nuit rapide, que d'autres au milieu du jour ! Mais le jour fuit ; sors, nouvelle épouse.

Enfants, levez vos flambeaux ; je vois venir le voile couleur de flamme. Allez, chantez tous en mesure :
« Iô Hymen Hyménée Iô ! Iô Hymen Hyménée ! »...

Maintenant tu peux venir, nouvel époux ; l'épouse est dans ta couche ; son visage a l'éclat des fleurs, celui de la blanche matricaire ou du rose pavot.

Et toi, jeune époux, (que les dieux du ciel m'assistent!) tu n'es pas moins beau et Vénus ne t'oublie pas. Mais le jour fuit; approche, ne tarde pas.

Tu n'as pas tardé longtemps, te voici. Que la bonne Vénus t'assiste, puisque c'est devant tous que tu désires ce que tu désires et puisque tu ne caches pas un amour de bon aloi.

Qu'il compte plutôt les grains de sable de l'Afrique et les astres étincelants, celui qui veut compter vos mille et mille jeux...

(in *Le Livre d'or des épithalames ou chants nuptiaux*,
par Jean-Michel Girard, Éd. Complicités, 1999)

PASSIONNÉMENT

Je n'oublierai jamais tes yeux
semblables à des flammes
ces flammes qui sont la couronne du soleil

Bernard DELVAILLE

Car la mer et l'amour ne sont point sans orage.
Celui qui craint les eaux, qu'il demeure au rivage,
Celui qui craint les maux qu'on souffre pour aimer
Qu'il ne se laisse pas à l'amour enflammer,
Et tous deux ils seront sans hasard de naufrage.

Pierre de MARBEUF

RENÉ DEPESTRE
(1926)

CÉLÉBRATION DE MA FEMME

à Nelly

Comme le feu qui rit aux éclats dans ta chair
ma poésie sera corps de femme au soleil

tel un bateau chargé d'épices à la folie
ma vie tangue sous le poids de ta mythologie

toi par qui le plaisir navigue en haute mer
toi qui donnes un horizon à mes chimères

corps au feu magicien sexe à incandescence
toi qui sais azurer les soirs sans espérance

quel honneur plus glorieux que celui de chanter
dans un lied éclatant de joie et de santé

le grand soleil labié où les quatre éléments
montent au ciel dans l'arc émerveillé du sang.

(*Anthologie personnelle*, Éd. Actes Sud, 1993)

PIERRE-JEAN JOUVE
(1887-1976)

Ô DONNE-MOI TON CORPS...

Ô donne-moi ton corps ouvert en grand secret
Là où la profondeur est énorme et sauvage
Où le temps est perdu dans l'abîme où l'ardeur
Se consume parmi l'unique et le ravage

Ô vie ! Organe empli des forêts et des mers
Donne-moi l'unité par ma superbe épouse
Moi-même, pour brûler de l'amour décharné
Que demande l'esprit sans homme et sans épouse.

(Mélodrame, Éd. Mercure de France, 1967)

MARGUERITE BURNAT-PROVINS
(1872-1952)

PARCE QUE L'AMOUR A NOUÉ NOS CORPS...

Parce que l'amour a noué nos corps de ses mains divines, comme les enfants nouent les tiges qu'ils arrachent aux prés, parce que nos vies se sont mêlées comme se mêlent les eaux chantantes, je consacre à ta jeunesse un hymne enivré.

Je dirai la lumière de tes yeux, la volupté de ta bouche, la force de tes bras, l'ardeur de tes reins puissants et la douceur tiède de ta peau, blanche et dorée comme la clarté du soleil.

Je dirai l'emprise de tes mains longues qui font à ma taille une ceinture frémissante ; je dirai ton regard volontaire qui anéantit ma pensée, ta poitrine battante soudée à ma poitrine, et tes jambes aussi fermes que le tronc de l'érable, où les miennes s'enroulent comme les jets onduleux des houblons.

Telle qu'une idole, mon adoration couvrira ta nudité superbe des lys odorants et des phlox cueillis dans mon jardin.

Je te regarderai dormir dans leur parfum.

Contre ton flanc apaisé, j'écouterai ton sang couler dans le mystère de ta vie, comme j'écoute, dans le soir, le ruisseau qui descend de l'obscure forêt.

Sylvius, quand je ne serai plus, quand les saisons sur ma tombe ouvriront les passe-roses et les giroflées d'or, dans la pureté du matin bleu, des voix passionnées rediront le chant de mon amour.

Alors nos âmes ne seront plus qu'une âme et tu me posséderas pour l'éternité.

(*Le Livre pour toi*, Éd. Sansot, 1908)

PIERRE EMMANUEL
(1916-1984)

HYMNE À L'HOMME ET À LA FEMME
(extrait)

Nus dans le Rien, n'ayant de témoin que leur peau
Ils se serrent pour se réchauffer l'un à l'autre
Et d'être nus leur est un refuge, le seul
Élément qui subsiste et résiste au néant.
Leur nudité met en partage une tendresse
Dont la distance du regard les eût privés
Et la honte, cette science qu'ils acquirent
D'un éblouissement trop fort, fauteur de nuit.
Nuit qui fait grâce : plus de honte. Leur étreinte
Les confond, les pétrit, les peaux glissent, refluent
Leur enseignent la soie des frissons, la coulée
Des membres, la marée montante avec le sang.
Les courbes et les creux, les saillies, les mollesses
L'humide dans les plis, le poil, l'odeur mêlée
Tout se meut, s'interroge et s'ajuste et s'esquive
Tout est lierre onduleux, danse ophidienne, fût !
Dans l'intervalle des soupirs et des caresses
Ils se nomment : Adam, Ève. Beaux noms pareils
À ce savoir naissant et double qu'ils s'inventent
À ce toucher insatiable qui dissout
Chacun dans son désir que l'autre soit le Tout.

(*Le Grand Œuvre*, Éd. du Seuil, 1984)

GUILLAUME APOLLINAIRE
(1880-1918)

JE T'ADORE MON LOU...

Je t'adore mon Lou et par moi tout t'adore
Les chevaux que je vois s'ébrouer aux abords
L'appareil des monuments latins qui me contemplent
Les artilleurs vigoureux qui dans leur caserne rentrent
Le soleil qui descend lentement devant moi
Les fantassins bleu pâle qui partent pour le front pensent à toi
Car ô ma chevelue de feu tu es la torche
Qui m'éclaire ce monde et flamme tu es ma force

      Dans le ciel les nuages
      Figurent ton image
      Le mistral en passant
      Emporte mes paroles
      Tu en perçois le sens
      C'est vers toi qu'elles volent
      Tout le jour nos regards
      Vont des Alpes au Gard
      Du Gard à la Marine
      Et quand le jour décline
      Quand le sommeil nous prend
      Dans nos lits différents
      Nos songes nous rapprochent
      Objets dans la même poche
      Et nous vivons confondus
      Dans le même rêve éperdu
      Mes songes te ressemblent

Les branches remuées ce sont tes yeux qui tremblent
Et je te vois partout toi si belle et si tendre
Les clous de mes souliers brillent comme tes yeux
La vulve des juments est rose comme la tienne
Et nos armes graissées c'est comme quand tu me veux
Ô douceur de ma vie c'est comme quand tu m'aimes

L'hiver est doux le ciel est bleu
Refais-me le refais-me le
Toi ma chère permission
Ma consigne ma faction
Ton amour est mon uniforme
Tes doux baisers sont les boutons
Ils brillent comme l'or et l'ornent
Et tes bras si roses si longs
Sont les plus galants des galons
Un monsieur près de moi mange une glace blanche
Je songe au goût de ta chair et je songe à tes hanches
À gauche lit son journal une jeune dame blonde
Je songe à tes lettres où sont pour moi toutes les nouvelles du
monde
Il passe des marins la mer meurt à tes pieds
Je regarde ta photo tu es l'univers entier
J'allume une allumette et vois ta chevelure
Tu es pour moi la vie cependant qu'elle dure
Et tu es l'avenir et mon éternité
Toi mon amour unique et la seule beauté

(*Poèmes à Lou*, Éd. Gallimard, 1969)

MARC ALYN
(1937)

CÉRÉMONIAL DE LA VILLE-FEMME
(extraits)

Cette année-là, pour nous, il n'y eut pas d'hiver.
Je t'aimais. Tu m'aimais. J'aspirais l'univers
À ta bouche, à ta chair, et c'était mer à boire
Que cette magie blanche à goût d'algue et de gloire.
J'étais au cœur du monde et tout au bout de moi,
Là-bas, en Orient, en ces contrées de proie
Où la vie est un feu qui brûle de finir :
Roseraies égorgées sur des gravats d'empires.
Tu m'aimais. Je t'aimais. La terre, l'air et l'eau
Semblaient naître de toi. L'aube inventait l'oiseau.
Moi aussi, j'émergeais de tes nappes profondes
Recréé par l'ivresse avide d'être au monde
Et de recommencer mon cours sous tes paupières
À ce point où la nuit se noie en la lumière.
[...]
Mes mains se caressaient sans cesse à ta chair nue
Incantant par-delà le sang l'imaginaire,
Et j'écoutais fuser, hors des vocabulaires,
Rauque sous l'assoiffée vendange de l'étreinte,
La voix immensément humide de ta plainte.
Toi, l'eau vive qui rit en comptant ses cailloux,
Moi, l'eau sombre qui rêve en la nappe, dessous,
Nous mêlions désormais au creux d'un même lit
Nos ondes transformées l'une en l'autre, éblouies.
La nuit appareillait gréée en goélette.
La Ville torturée de lueurs violettes
Haletait alentour, en proie à ses fantasmes,
Cherchant à travers nous l'éclatement du spasme.
Tu m'aimais. Je t'aimais. J'allais en toi, au fond,
Nageur masqué d'éclairs dans les plis du lagon

Et la flèche vibrait vers des yeux de phosphore
Qui luisaient, s'éteignaient puis rayonnaient plus fort
Avant de s'éclipser au large de la vue.
Jamais femme enlacée n'avait été plus nue.
[...]
Nous coulions confondus, ensemble, sans retour,
Perdus en la fraîcheur ardente de l'amour
Tandis que frémissait sous l'herbe le grelot
D'humbles ondes mêlées formant d'autres ruisseaux.
Autour de moi, l'azur, un envol de poèmes :
Toi en tout et pour tout, espace, horizon même.
J'allais dans ta clarté coupée d'ombre, j'allais
Porté par l'air doré qu'en toi je respirais.
Par tes yeux je voyais un monde à ta semblance,
Réel et rêve unis en la même voyance.
Je croyais. J'avais foi enfin. J'avais confiance.
Sur ma langue, ton nom saveur rauque du cœur.
Tu oubliais le sens du froid, de la frayeur.
Nous partagions le pain, la planète, la pomme,
Miettes d'éternité dont l'instant est la somme.
[...]
Je cheminais en toi. C'était déjà l'été.
Août semait sur ta peau des sauges, des absinthes
Et je ne savais plus au terme de l'étreinte
Si tu étais la Ville ou si la Ville-femme
Se livrait en mes mains au Jugement des flammes.
Car tu brûlais sans fin : tes cheveux, mèche à mèche,
Crépitaient ; de tes seins s'échappaient des flammèches
Qui propageaient au loin l'extase, les lueurs
– Ton sexe était la cible exquise des tireurs.
Ô mon amour total, louange capitale,
Toi l'objet de ma guerre et l'appât de mes balles,
Que l'Ailleurs par ma voix t'incante nue, offerte,
Pendant le millénaire à venir, Ville ouverte !

(*Le Livre des amants*, Éd. L'Harmattan, 1996)

CLAUDE VIGÉE
(1921)

LES NOCES DE CAPRI

Femme, tu vis en moi, double dès l'origine,
Tes pieds contre mes mains, tes seins sous ma poitrine,
Et la douce chaleur de tes reins sous mes flancs
Se perd dans la fraîcheur de nos draps de lit blancs.

    Oiseau fou, tu plonges
        Plus loin que l'hiver :

                Tes ailes s'allongent
                  Au-delà de la mer.

Dans le creux de l'exil ainsi fleurit la joie :
Autour de notre feu se rompt l'anneau des nuits.
De la maison charnelle où le matin rougeoie,
Obscures, vers la mer, les collines s'enfuient.

    La mouette au vent
        Trouve sa patrie :

                Le soleil levant
                Porte notre vie.

Ève, je dors en toi, simple dès l'origine,
Mes pieds contre les tiens, mes bras sur ta poitrine,
Et la douce chaleur de tes reins sous mes flancs
Brûle comme le jour sur la terre au printemps.

                (*Canaan d'Exil*, Éd. Seghers, 1962)

JEAN SALMON MACRIN
(1490-1557)

À GELONIS

Mille récoltes s'offrent cette année en abondance, d'innombrables épis jaunissent chaque lopin, des grappes serrées empourprent la vigne, et les arbres eux-mêmes se chargent de fruits.

Je t'en prie, ma tendrelette épouse, jouons ensemble et ensemble amusons-nous, et appuyons bien fort nos bouches sur nos bouches! Que l'emportent sur les innombrables épis des champs, sur toutes les grappes filles de la vigne, et sur les fruits dont se chargent les arbres, la moisson prodigue de nos baisers et l'automne fertile de nos ébats et la vendange généreuse de nos jeux, pour que à tous les échos l'année réponde: « C'est ainsi qu'il faut vivre, jolie épouse ! »

(*Épithalames et odes*, Éd. Honoré Champion, 1998)
Traduit du latin par Georges Soubeille

GASTON MIRON
(1928-1996)

LA MARCHE À L'AMOUR
(extrait)

frappe l'air et le feu de mes soifs
coule-moi dans tes mains de ciel de soie
la tête la première pour ne plus revenir
si ce n'est pour remonter debout à ton flanc
nouveau venu de l'amour du monde
constelle-moi de ton corps de voie lactée
même si j'ai fait de ma vie dans un plongeon
une sorte de marais, une espèce de rage noire
si je fus cabotin, concasseur de désespoir
j'ai quand même idée farouche
de t'aimer pour ta pureté
de t'aimer pour une tendresse que je n'ai pas connue

dans les giboulées d'étoiles de mon ciel
l'éclair s'épanouit dans ma chair
je passe les poings durs au vent
j'ai un cœur de mille chevaux-vapeur
j'ai un cœur comme la flamme d'une chandelle
toi tu as la tête d'abîme douce n'est-ce pas
la nuit de saule dans tes cheveux
un visage enneigé de hasards et de fruits
un regard entretenu de sources cachées
et mille chants d'insectes dans tes veines
et mille pluies de pétales dans tes caresses

tu es mon amour
ma clameur mon bramement
tu es mon amour ma ceinture fléchée d'univers
ma danse carrée des quatre coins d'horizon
le rouet des écheveaux de mon espoir

tu es ma réconciliation batailleuse
mon murmure de jours à mes cils d'abeille
mon eau bleue de fenêtre
dans les hauts vols de buildings
mon amour
de fontaines de haies de ronds-points de fleurs
tu es ma chance ouverte et mon encerclement

(*L'Homme rapaillé*, Éd. Typo, Montréal, 1998)

ANONYME

CHANTS DU BORD DE L'EAU ET VŒUX D'AMOUR
(extraits)

Mon dieu, mon [époux, je] t'[accompagne].
Il est charmant de s'en aller [vers le fleuve].
Je [me réjouis de ce que tu] me demandes,
De descendre dans l'eau, pour me baigner devant toi.

Je te laisse voir ma beauté
Dans une tunique du lin royal le plus fin,
Imprégnée d'essences balsamiques,
Trempée dans l'huile parfumée.

J'entre dans l'eau, pour être à tes côtés,
Et, pour l'amour de toi, je sors, tenant un poisson rouge.
Il se trouve heureux entre mes doigts,
Je le pose [sur ma poitrine].

Ô toi, mon époux, ô bien-aimé,
Viens, et regarde.
[...]
Je vois à présent que la bien-aimée est venue.
Mon cœur est heureux, et mes bras sont ouverts pour la recevoir.
Mon cœur dans sa place saute de joie, comme si cela ne devait
   avoir de cesse.
Ne demeure pas lointaine, viens vers moi, ô ma maîtresse !

(*Les Chants d'amour de l'Égypte ancienne*,
par Siegfried Schott, Librairie A. Maisonneuve, 1956)
Traduit de l'allemand par Paule Krieger

SAINT-JOHN PERSE
(1887-1975)

AMERS
(extraits)

«... Au cœur de l'homme, solitude. Étrange l'homme, sans rivage, près de la femme, riveraine. Et mer moi-même à ton orient, comme à ton sable d'or mêlé, que j'aille encore et tarde, sur ta rive, dans le déroulement très lent de tes anneaux d'argile – femme qui se fait et se défait avec la vague qui l'engendre...

Étroits sont les vaisseaux, étroite l'alliance ; et plus étroite ta mesure, ô corps fidèle de l'Amante... Et qu'est ce corps lui-même, qu'image et forme du navire ? nacelle et nave, et nef votive, jusqu'en son ouverture médiane ; instruit en forme de carène, et sur ses courbes façonné, ployant le double arceau d'ivoire au vœu des courbes nées de mer... Les assembleurs de coques, en tout temps, ont eu cette façon de lier la quille au jeu des couples et varangues.

Vaisseau, mon beau vaisseau, qui cède sur ses couples et porte la charge d'une nuit d'homme, tu m'es vaisseau qui porte roses. Tu romps sur l'eau chaîne d'offrandes. Et nous voici, contre la mort, sur les chemins d'acanthes noires de la mer écarlate... Immense l'aube appelée mer, immense l'étendue des eaux, et sur la terre faite songe à nos confins violets, toute la houle au loin qui lève et se couronne d'hyacinthes comme un peuple d'amants ! »
[...]
Tu es là, mon amour, et je n'ai lieu qu'en toi. J'élèverai vers toi la source de mon être, et t'ouvrirai ma nuit de femme, plus claire que ta nuit d'homme ; et la grandeur en moi d'aimer t'enseignera peut-être la grâce d'être aimé. Licence alors aux jeux du corps ! Offrande, offrande, et faveur d'être ! La nuit t'ouvre une femme : son corps, ses havres, son rivage ; et sa nuit antérieure où gît toute mémoire. L'amour en fasse son repaire !

(Amers, Éd. Gallimard, 1957)

ÉMILE VERHAEREN
(1855-1916)

LE PARADIS
(extraits)

Il s'approcha, ardent et gauche, avec la crainte
D'effaroucher ces yeux dans leur songe perdus ;
Des grappes de clartés tombaient des térébinthes
Et le sol était chaud de parfums répandus.

Il hésitait et s'attardait quand la belle Ève,
Avec un geste fier, s'empara de ses mains,
Les baisa longuement, lentement, comme en rêve,
Et doucement glissa leur douceur sur ses seins.

Jusqu'au fond de sa chair s'étendit leur brûlure.
Sa bouche avait trouvé la bouche où s'embraser,
Et ses doigts épandaient sa grande chevelure
Sur la nombreuse ardeur de leurs premiers baisers.

Ils s'étaient tous les deux couchés près des fontaines
Où comme seuls témoins ne luisaient que leurs yeux.
Adam sentait sa force inconnue et soudaine
Croître, sous un émoi brusque et délicieux.

Le corps d'Ève cachait de profondes retraites
Douces comme la mousse au vent tiède du jour ;
Et les gazons foulés et les gerbes défaites
Se laissaient écraser sous leur mouvant amour.

Et quand le spasme enfin sauta de leur poitrine
Et les retint broyés entre leurs bras raidis,
Toute la grande nuit amoureuse et féline
Fit plus douce sa brise au cœur du paradis.

[...]

145

Et la femme, plus belle encore depuis que l'homme
Avait ému sa chair du frisson merveilleux,
Vivait dans les bois d'or baignés d'aube et d'arômes
Avec tout l'avenir dans les pleurs de ses yeux.

(Les Rythmes souverains, Éd. Mercure de France, 1929*)*

GHERASIM LUCA
(1913-1994)

LA FIN DU MONDE

PRENDRE CORPS

Je te narine je te chevelure
je te hanche
tu me hantes
je te poitrine
je buste ta poitrine puis te visage
je te corsage
tu m'odeur tu me vertige
tu glisses
je te cuisse je te caresse
je te frissonne
tu m'enjambes
tu m'insupportable
je t'amazone
je te gorge je te ventre
je te jupe
je te jarretelle je te bas je te Bach
oui je te Bach pour clavecin sein et flûte

je te tremblante
tu me séduis tu m'absorbes
je te dispute
je te risque je te grimpe
tu me frôles
je te nage
mais toi tu me tourbillonnes
tu m'effleures tu me cernes
tu me chair cuir peau et morsure
tu me slip noir
tu me ballerines rouges
et quand tu ne haut-talon pas mes sens
tu les crocodiles

tu les phoques tu les fascines
tu me couvres
je te découvre je t'invente
parfois tu te livres

tu me lèvres humides
je te délivre et je te délire
tu me délires et passionnes
je t'épaule je te vertèbre je te cheville
je te cils et pupilles
et si je n'omoplate pas avant mes poumons
même à distance tu m'aisselles
je te respire
jour et nuit je te respire
je te bouche
je te palais je te dents je te griffe
je te vulve je te paupières
je te haleine
je t'aine
je te sang je te cou
je te mollets je te certitude
je te joues et te veines

je te mains
je te sueur
je te langue
je te nuque
je te navigue
je t'ombre je te corps et te fantôme
je te rétine dans mon souffle
tu t'iris

je t'écris
tu me penses

(*Paralipomènes*, Éd. du Soleil Noir, 1976)

148

TOUSSAINT CORTICCHIATO
(1927)

LES AMANTS ET LA MER
(extrait)

Je te sais femme nue de mon âme alourdie,
je me sais homme doux appesanti de femme ;

La douceur et le poids d'être deux... nous voici
lourds d'une transparence affamée de lumière :

Qui es-tu femme, ô femme, au plus profond de moi,
     Qui es-tu par qui je respire,

Ô plus douce que femme avec tes cils d'enfant,
     toi qui chantes et me déchires,

Toi si limpide et sûre au plus profond du jour,
qui m'ouvres ce regard d'époux sur toute chose ?

Mes yeux cillent, mes yeux sur les offres du ciel
     sinuent la caresse et la prise...

Je te convie, ô sœur, aux noces du réel
     sous la pensée agile ;

Nous voici, grands mortels, le regard accouplé
     vers la vieille apparence ;

Vers la haute apparence exquise de la mer
     dont nous sommes la houle-rive,

Vers le monstre impudique et rauque de la mer
     dont nous sommes l'écume-sable,

et les langues de sel, et les baies de faveur...
Ô sœur de corail blanc regarde !

Les nombres océans, la multitude et l'un
dansant selon la même force,

dansant selon le rire et le cri d'un dieu pur !
Écoute la mer aller l'amble,

Vers un rivage de velours, d'amples soupirs,
selon le souffle du dieu même ;

Et, selon les genoux du vent léger, l'échine
s'enfle docile, ou se dénoue ;

Et la houle première en écume hennit !
La rive ensemencée de sphères

Selon le loisir du dieu même
Se mouille : une rosée de signes !

Regarde, ô sœur de corail rose,
la mer plurielle ourdie d'un nombre d'or,

tramée d'une seule merveille,
dans une même maille ourlée,

où la forme du vaste et du profond scintille,
où s'épousent l'infime et l'infini... ô sœur,

Écoute, ô femme de corail ! porte l'éclair
dans l'entraille fine des eaux.

(*Les Amants et la mer*, Éd. de la Grisière, 1970)

PAUL VALÉRY
(1871-1946)

TU ES BELLE COMME UNE PIERRE...

Tu es belle comme une pierre ; et ta forme se ferme si parfaitement qu'elle appelle les deux mains à l'épouser et à la suivre ; à la reprendre et la refaire, selon ses pentes et ses masses, sa douceur et sa résistance, et cette fuyante plénitude qui affole indéfiniment le toucher. Tu es si belle que je te crée. Ô que mes mains recommencent encore la connaissance de leur ouvrage et que la créature engendre le créateur... Ton épaule excède toute parole ; la fraîcheur, la fermeté, l'équilibre du bras que je soulève et baise, et qui conduit les lèvres vers ton sein, vers l'un des buts ou des pièges placés sur la forme de toi, pour que l'âme s'y prenne et n'ait de cesse qu'elle ne tombe et périsse au piège des pièges.

J'abandonne toute pensée. Toute pensée m'abandonne. Je me sens devenir mes mains, mes genoux impérieux, et la puissance de mon torse aux reins pressants.

(*Alphabet*, Librairie générale française, 1999)

JACQUES DARRAS
(1939)

LA MAYE

nous allons vers la nudité
nous nous dirigeons vers les draps
nous nous glissons hors de nos vêtements
nous faisons tomber la colonne de tissu
nous la laissons en plis sur le sol
nous avons effleuré la pente de nos jambes d'une caresse
nous allons inaugurer la nuit
nous sommes comme des baigneurs sur le bord d'une rivière
nous sommes dans l'espace de la nudité
nous avons quitté le monde des images
le monde tout à coup déborde le silence
le monde est au bord d'une attente
le monde bascule lentement
les corps sont plus que les mots
le silence est une chair à déplier
le silence est une promesse liquide
le silence parle par une bouche muette
la main dit mieux que la langue
la main dessine le silence
la main divise le silence
la main épouse la division
le corps parle avec la main
le silence parle avec la main
le silence écrit avec la main
le silence écrit l'histoire du corps avec la main
au commencement il y a la division
au commencement tu retiens ton souffle
au commencement il y a la fluidité de la division
au commencement tu divises le silence avec la main
au commencement tu glisses la main dans l'ouverture du silence
le silence est fluide

le silence est ouvert
le silence respire à peine
le silence est lourd
le silence est lointain
le lointain s'approche dans le silence
le lointain arrive au bord des lèvres
le lointain reflue comme une marée
le lointain afflue au seuil du silence
nous voyageons
tu es un seuil
tu es le bord
tu es la plage
tu es le large
tu es la haute mer
tu es le silence de dieu
tu es la lèvre du silence
nous embarquons
nous sommes embarqués
au commencement il y avait le déluge
au commencement il y avait les yeux
au commencement il y avait la bouche
au commencement il y avait l'innommable
l'innommable est le silence
l'innommable est la division
la main nomme la division
mon corps épelle la division
mon corps remonte aux sources de la division
mon corps remonte à l'arche liquide du déluge
mon corps remonte à l'ouverture liquide du monde
mon corps aborde au silence du seuil
mon corps approche aux portes de la plage
tu me lies au silence
tu m'ouvres au lit silencieux du monde
tu m'ouvres à la remontée liquide du courant du monde
tu es le lointain devenu proche
tu es la vague devenue imminente
tu es le déferlement du souffle contenu
tu es le tremblement d'arche de la terre
tu es le silence rompu

tu es le cri de la mer
tu es la rupture de l'origine
les planètes s'engouffrent dans ton cri
les étoiles oscillent dans l'onde de ton cri
les soleils s'éteignent dans l'eau de ton cri
la nuit devient nudité
la nuit devient lumière de corps
la nuit devient habit de silence
la nuit se tait dans ses lèvres
tu es la nuit
la nuit commence en toi
tu es au commencement de la nuit
tu es le commencement
la nuit commence

(*La Maye*, Éd. Trois Cailloux, 1988)

AU FIL DES JOURS

Le sais-tu, oui ! pour moi voici des ans, voici
Toujours que ton sourire éblouissant prolonge
La même rose avec son bel été qui plonge
Dans autrefois et puis dans le futur aussi.
Stéphane MALLARMÉ

Un bon mari ne se souvient jamais de l'âge de
sa femme, mais de son anniversaire, toujours.
Jacques AUDIBERTI

YVAN GOLL
(1891-1950)

DIX MILLE AUBES

Dix mille aubes, mon ange, dix mille aubes [1]
Dix mille fois l'œil du soleil
Est venu rouvrir nos paupières
Dix mille aubes pour cette unique nuit
De notre amour
Ta tête sculptée dans mes bras
La roseraie de tes cheveux
Allumée de dix mille roses

Ah combien de scintillements
Et les dix mille voix des vagues
Combien de lunes sont venues
Tantôt délurées tantôt tristes
Nous couvrir de l'extase des neiges

Et des vieillards nous ont donné leurs yeux
Et des enfants ont mangé notre cœur
Dans les dix mille songes d'un amour

Dix mille aubes, mon ange, dix mille aubes
Dix mille œufs pleins d'oiseaux et de chansons
Dix mille jaunes de soleil
Valent bien aujourd'hui
L'unique mort aux cent mille astres

(*Œuvres*, Éd. Émile-Paul, 1970)

---

1. C'est le jour du trentième anniversaire de leur rencontre qu'Yvan Goll offrait
ce poème à Claire, son épouse. Trente années font dix mille aubes.

CHARLES PÉGUY
(1873-1914)

CELA M'ÉTONNE TOUJOURS, DIT DIEU

Cela m'étonne toujours, dit Dieu,
d'entendre les gens dire :
« Nous sommes mariés !... »
Comme si on se mariait un jour !
Laissez-moi rire.
Comme si on se mariait une fois pour toutes.
Ils croient que c'est arrivé,
et qu'ils peuvent vivre,
vivre de leurs rentes d'amour de gens mariés.

Comme si on se mariait un jour,
comme s'il suffisait de se donner une fois,
une fois pour toutes ;
comme si moi-même,
j'avais fait le monde en un jour ;
comme s'il ne fallait pas, à tout prix,
par un bon sens enfin,
se marier tous les jours que je fais.

Les hommes ne doutent de rien !
Deux moitiés ont tant à marier !
Quand on a été vingt ans seul,
jeune homme seul,
jeune fille seule,
si différents,
de souches étrangères l'une à l'autre
depuis des générations d'antan.

Que de choses à donner
et à recevoir.
Que de choses à recevoir
et à donner, mes enfants !

(Œuvres complètes, Éd. Gallimard, 1987)

JACQUES SALOMÉ
(1935)

UNE VIE D'AIMANCE

Il faut
l'aube des rencontres
et les matins d'apprivoisement
pour un midi de découvertes.
Puis
tout un demi-jour dévoré
au plein soleil de la passion
pour ensemencer les partages.
Quant aux soirs de tendresse
ils ne suffisent pas toujours
à réconcilier
la distance de nos cœurs éclatés.

Souvent
le crépuscule disperse
les poussières de l'usure
et l'aurore du soir
amplifie
la nostalgie des midis de lumière
Avec la nuit
se vendangent nos saisons
et les étoiles
moissonnent toutes
nos ivresses

Au réveil
sans t'avoir quittée
je te cherche encore
et la vie me surprend
de nouveau ébloui
dans la quête de toi.

(*Aux Feux de l'Aimance*, Éd. Le Regard Fertile, 1986)

H. RIOUX
(XXᵉ siècle)

ÊTRE DEUX

Nous sommes deux à jamais, le temps ne compte pas, le temps n'a aucune importance, le temps, aliénante angoisse de l'homme. Cette seconde demeure fixée dans l'éternité, nous la voulons ainsi : immuable dans sa perfection. Nous avons choisi pour le présent et nous le vivons seconde après seconde. Nous avons choisi pour le meilleur, et tant que le meilleur vivra. Nous choisissons pour le bonheur. Nous avons choisi un jour, nous n'avons pas choisi pour toujours. N'être sûr de rien, ne rien prévoir, ne rien pouvoir décider à l'avance. Nous n'engageons que l'instant que nous vivons, demain est pour demain. Nous n'engageons que l'amour, éphémère ô combien, mais éternel, notre amour... C'est pourquoi nous avons refusé d'engager l'avenir. Nous savons maintenant, que nous sommes bien, nous sommes heureux d'être ensemble ; et nous ne voulons pas savoir combien de temps nous le serons... La beauté d'un instant réside dans le fait qu'il est unique et irremplaçable dans le temps et dans l'espace.

(in Revue *Échanges* n° 109, 1973)

YVES BONNEFOY
(1923)

L'ÉTÉ DE NUIT
(extrait)

I

Il me semble, ce soir,
Que le ciel étoilé, s'élargissant,
Se rapproche de nous ; et que la nuit,
Derrière tant de feux, est moins obscure.

Et le feuillage aussi brille sous le feuillage,
Le vert, et l'orangé des fruits mûrs, s'est accru,
Lampe d'un ange proche ; un battement
De lumière cachée prend l'arbre universel.

Il me semble, ce soir,
Que nous sommes entrés dans le jardin, dont l'ange
A refermé les portes sans retour.

II

Navire d'un été,
Et toi comme à la proue, comme le temps s'achève,
Dépliant des étoffes peintes, parlant bas.

Dans ce rêve de mai,
L'éternité montait parmi les fruits de l'arbre
Et je t'offrais le fruit qui illimite l'arbre
Sans angoisse ni mort, d'un monde partagé.

Vaguent au loin les morts au désert de l'écume,
Il n'est plus de désert puisque tout est en nous
Et il n'est plus de mort puisque mes lèvres touchent
L'eau d'une ressemblance éparse sur la mer.

Ô suffisance de l'été, je t'avais pure
Comme l'eau qu'a changée l'étoile, comme un bruit
D'écume sous nos pas d'où la blancheur du sable
Remonte pour bénir nos corps inéclairés.

(Pierre écrite)

(*Poèmes*, Éd. Mercure de France, 1978)

JORGE DE SENA
(1919-1978)

JE SAIS LE SEL...

Je sais le sel de ta peau sèche
depuis que l'été s'est fait hiver
de la chair au repos dans la sueur nocturne.

Je sais le sel du lait que nous avons bu
quand de nos bouches les lèvres se resserraient
et que notre cœur battait dans notre sexe.

Je sais le sel de tes cheveux noirs
ou blonds ou gris qui s'enroulent
dans ce sommeil aux reflets bleutés.

Je sais le sel qui reste dans mes mains
comme sur les plages reste le parfum
quand la marée descendue se retire.

Je sais le sel de ta bouche, le sel
de ta langue, le sel de tes seins,
et celui de ta taille quand elle se fait hanche.

Tout ce sel je sais qu'il n'est que de toi,
ou de moi en toi, ou de toi en moi,
poudre cristalline d'amants enlacés.

(in *Anthologie de la poésie portugaise contemporaine*,
par Michel Chandeigne, Éd. Gallimard, 2003)
Traduit du portugais par Michelle Giudicelli

ÉMILE VERHAEREN
(1855-1916)

VOICI QUINZE ANS DÉJÀ...

Voici quinze ans déjà que nous pensons d'accord ;
Que notre ardeur claire et belle vainc l'habitude,
Mégère à lourde voix, dont les lentes mains rudes
Usent l'amour le plus tenace et le plus fort.

Je te regarde, et tous les jours je te découvre,
Tant est intime ou ta douceur ou ta fierté :
Le temps, certes, obscurcit les yeux de ta beauté,
Mais exalte ton cœur dont le fond d'or s'entrouvre.

Tu te laisses naïvement approfondir,
Et ton âme, toujours, paraît fraîche et nouvelle ;
Les mâts au clair, comme une ardente caravelle,
Notre bonheur parcourt les mers de nos désirs.

C'est en nous seuls que nous ancrons notre croyance
À la franchise nue et la simple bonté ;
Nous agissons et nous vivons dans la clarté
D'une joyeuse et translucide confiance.

Ta force est d'être frêle et pure infiniment ;
De traverser, le cœur en feu, tous chemins sombres,
Et d'avoir conservé, malgré la brume ou l'ombre,
Tous les rayons de l'aube en ton âme d'enfant.

(*Les Heures*, Éd. Jacques Antoine, 1978)

CLAUDE SERNET
(1902-1968)

DÉDICACE

Ces mots que je rassemble à vivre de ta vie
Ces mots d'accueil à l'aube et qui m'étaient perdus

Ces mots que je t'apporte en t'apportant mes rêves
Ces mots que je retrouve en prononçant ton nom

Ces mots dont l'ordre passe et la chanson demeure
Ces mots qui sont les mots que notre amour choisit

– Ô n'en retiens pourtant que le meilleur usage
Leur fraternel murmure, un peu de leur éclat

Puis sans les suivre écoute : ouvrant des cœurs, des portes
Frappant de porte en porte, allant de cœur en cœur

Ils rediront peut-être au monde encore aveugle
Nos pas dans la lumière et le chemin battu –

Ces mots que je rassemble à partager ta vie
Ces mots que je retrouve aux perles de ton nom

Ces mots que je t'apporte afin que par ta gloire
Ils soient de tous les jours et comblent d'autres voix

Ces mots comme un visage où la douleur s'apaise
Ces mots comme une étreinte où le désir renaît

Ces mots que notre amour choisit et renouvelle
Ces mots que je rends, ces mots que nous devons

(*Fidèle infidèle*, Éd. Seghers, 1955)

PHILIPPE JACCOTTET
(1925)

À LA LONGUE PLAINTE DE LA MER,
UN FEU RÉPOND
(extraits)

Nous nous souviendrons des premiers jours, des premières nuits où nous fûmes ensemble, de la grâce de notre insouciance, de ce bonheur sans plus de poids que l'ombre, de ces quelques instants où il n'y eut plus de mouvement, ni distance ; mais que ce ne soit pas pour nous tourner avec mélancolie en arrière, comme les débiles pleureurs du romantisme.

[...]

Si la lumière du commencement ne nous éclaire plus que par intermittence ou de très loin, qu'elle demeure donc simplement tel un astre dans la distance, telle cette lampe que je vois brûler dans le miroir de la mer, et que sa distance aussi soit acceptée, en même temps que le chagrin inséparable de l'éloignement et du mouvement.

[...]

Ainsi pourrait demeurer préservée une plénitude... Celle-ci, la seule peut-être que nous ayons le droit de connaître maintenant, nous est donnée lorsque nous n'attachons plus aux distances, aux limites et aux obstacles qu'une importance secondaire ; lorsque notre patient, silencieux et fidèle amour, au lieu de se blesser à leurs angles, s'efforce de les rendre transparents et légers.

(*Éléments d'un songe*, Éd. Gallimard, 1961)

JEAN MALRIEU
(1915-1976)

ANNIVERSAIRE

Les jours sont revenus où nos mains se lièrent
Ils annonçaient déjà la nouvelle saison
Les baisers ont des fruits, les larmes leurs lumières
Et dans le creux des ans comme au creux des buissons
Tout notre amour jaillit d'une même prière
Tant nos destins heureux s'épousent de frissons.

Elle a les yeux si bleus que la mer y vient boire
Je suis la mer. Vers son destin dans mon regard
Elle a la nudité que donne le miroir
Ainsi plongeurs des jours qui jamais ne s'égarent
Nos cœurs auront vogué sur l'eau de nos mémoires
Tant pis si nos péchés nous sont remis plus tard.

Où la plage finit une vague commence
Une vie d'horizons toujours renouvelés
Jamais n'aura connu pareilles violences
Où l'amour devient sang nos cœurs sont sang-mêlé
Un jour viendra Nos voix appellent sa naissance
Rien qu'à rêver de toi je mourus d'impatience
Sur la route des mers où nous sommes allés.

(Préface à l'amour)

(Libre comme une maison en flammes.
Œuvre poétique 1935-1976, Éd. le cherche midi, 2004)

JEAN ORIZET
(1937)

DÉJÀ LA BÛCHE...

Déjà la bûche est devenue cette fumée
porteuse de nuit
déjà la cendre, cette poussière hors d'âge

Mais toi, sauras-tu faire front à notre hiver
pour une combustion sans restes ?

(*Miroir oblique*, Éd. Saint-Germain-des-Prés, 1969)

EMMANUEL HOCQUARD
(1940)

ÉLÉGIE 5
(extrait)

Pour toute chose, nous eûmes les mêmes yeux :
    le jardin d'autrefois et celui d'aujourd'hui,
    le jardin immobile.
Nous avançâmes au milieu de ce qui porte un nom
    et que nous avions appris à nommer ;
Nous progressâmes dans les livres
    au milieu de ce que nous apprenions,
L'arbre vivant et l'arbre mort au même titre,
    songeant peut-être qu'une telle coïncidence
Ne durerait pas toujours car sa croissance serait sa mort
    et la pensée du modèle sa fin.
    Notre amour n'eut pas d'autres lieux
Qu'une succession de regards sur des lieux de fortune,
    morceaux de choix ravis aux circonstances,
Une alternance de mémoire et d'oubli pour les choses connues
    et puis l'indifférence aux choses sues.
Le temps de l'amour fut cette suspension du temps de tous les jours,
    une brèche délibérée dans le temps des paroles.
Et là nous ressentîmes ce que d'autres à notre place
    auraient également éprouvé,
Un contentement certain, quoique tempéré,
    d'être parvenus là où nous étions parvenus
Et déjà pourtant le vague désir de nous en retourner,
Une telle coïncidence ne pouvant pas durer
    puisque sa croissance serait sa fin.

(*Les Élégies*, Éd. P.O.L., 1990)

FRANCIS COMBES
(1953)

NOUS EÛMES UN FILS...

Nous eûmes un fils aux yeux d'incendie bleu
deux grands yeux de feu pour transpercer la nuit
puis une fille aux doigts de mimosas
en plein hiver un printemps qui bourgeonne.
Celle qui vint dans des larmes de joie.
Nous vieillirons ensemble doucement
pareils à l'or noble des peupliers
qui généreux s'effeuillent dans le vent.
On dit souvent qu'aimer est égoïsme
cet égoïsme est je crois nécessaire.

(*L'Amour, la Marguerite et l'Ordinateur*,
Éd. Messidor/Temps actuels, 1983)

ANDRÉ THEURIET
(1833-1907)

À MA MÈRE

Le salon est paisible. Au fond, la cheminée
Flambe, par un feu clair et vif illuminée.
Au-dehors le vent souffle, et la pluie aux carreaux
Ruisselle avec un bruit pareil à des sanglots.
Sous son abat-jour vert la lampe qui scintille
Baigne de sa clarté la table de famille ;
Un vase plein de fleurs de l'arrière-saison
Exhale un parfum vague et doux comme le son
D'un vieil air que fredonne une voix affaiblie.
Le père écrit. La mère, active et recueillie,
Couvre un grand canevas de dessins bigarrés,
Et l'on voit sous ses doigts s'élargir par degrés
Le tissu nuancé de laine rouge et noire.
Assise au piano, sur les touches d'ivoire
La jeune fille essaye un thème préféré,
Puis se retourne, et rit. Son profil éclairé
Par un pâle rayon est fier et sympathique,
Et si pur qu'on croirait voir un camée antique.
Elle a vingt ans. Le feu de l'art luit dans ses yeux
Et son front resplendit, et ses cheveux soyeux
Tombent en bandeaux bruns jusque sur ses épaules.
Comme un vent frais qui court dans les branches des saules
Ses doigts, sur l'instrument tout à l'heure muet,
Modulent lentement un air de menuet,
Un doux air de Don Juan, rêveuse mélodie,
Pleine de passion et de mélancolie...
Et, tandis qu'elle fait soupirer le clavier,
Le père pour la voir laisse plume et papier,
Et la mère, au milieu d'une fleur ébauchée,
Quitte l'aiguille et reste immobile et penchée.
Et s'entre-regardant, émus, émerveillés,

171

Ils contemplent tous deux avec des yeux mouillés
La perle de l'écrin, l'orgueil de la famille,
La vie et la gaieté de la maison – leur fille.

(*Les Enchantements de la forêt*,
Éd. Le Pythagore, 2003)

JEAN DE LA FONTAINE
(1621-1695)

LA JEUNE VEUVE

La perte d'un époux ne va point sans soupirs ;
On fait beaucoup de bruit ; et puis on se console :
Sur les ailes du Temps la tristesse s'envole,
    Le Temps ramène les plaisirs.
    Entre la veuve d'une année
    Et la veuve d'une journée
La différence est grande ; on ne croirait jamais
    Que ce fût la même personne :
L'une fait fuir les gens, et l'autre a mille attraits.
Aux soupirs vrais ou faux celle-là s'abandonne ;
C'est toujours même note et pareil entretien[1] ;
    On dit qu'on est inconsolable ;
    On le dit, mais il n'en est rien,
    Comme on verra par cette fable,
    Ou plutôt par la vérité.

    L'époux d'une jeune beauté
Partait pour l'autre monde. À ses côtés, sa femme
Lui criait : « Attends-moi, je te suis ; et mon âme,
Aussi bien que la tienne, est prête à s'envoler. »
    Le mari fait seul le voyage.
La belle avait un père, homme prudent et sage ;
    Il laissa le torrent couler.
    À la fin, pour la consoler :
« Ma fille, lui dit-il, c'est trop verser de larmes :
Qu'a besoin le défunt que vous noyiez vos charmes ?
Puisqu'il est des vivants, ne songez plus aux morts.
    Je ne dis pas que tout à l'heure[2]

1. Conversation.
2. Tout de suite.

Une condition meilleure
Change en des noces ces transports [1] ;
Mais, après certain temps, souffrez [2] qu'on vous propose
Un époux beau, bien fait, jeune, et tout autre chose
Que le défunt – Ah ! dit-elle aussitôt,
Un cloître [3] est l'époux qu'il me faut. »
Le père lui laissa digérer sa disgrâce [4].
Un mois de la sorte se passe ;
L'autre mois, on l'emploie à changer tous les jours
Quelque chose à l'habit, au linge, à la coiffure :
Le deuil [5] enfin sert de parure,
En attendant d'autres atours [6] ;
Toute la bande des Amours
Revient au colombier [7] ; les jeux, les ris [8], la danse,
Ont aussi leur tour à la fin :
On se plonge soir et matin
Dans la fontaine de Jouvence [9].
Le père ne craint plus ce défunt tant chéri ;
Mais comme il ne parlait de rien à notre belle :
« Où donc est le jeune mari
Que vous m'avez promis ? » dit-elle.

(Livre VI)

(Fables, Librairie générale française, 1972*)*

---

1. Manifestations bruyantes, ici de douleur.
2. Permettez.
3. Couvent.
4. Malheur.
5. L'obligation de porter le deuil (telle couleur et durant tant de temps) était très précisément suivie.
6. Parure féminine.
7. Les amours sont ailés et les colombes sont les oiseaux de Vénus.
8. Les rires.
9. Selon une légende médiévale, elle rajeunissait ceux qui s'y baignaient.

VIEILLIR ENSEMBLE

Que le jour où nous serons vieux
Au dernier soir de notre hiver
Tu sais, tu pourras être fière
D'avoir rendu un homme heureux
Le jour où les yeux dans les yeux
D'un baiser nous quitterons la terre
Ô tu sais, tu pourras être fière
D'avoir rendu un homme heureux.

Bernard HAILLANT

Et plus notre temps s'amenuise
Et plus notre ciel s'agrandit
Souvent d'un chagrin qui nous brise
Renaît un oiseau qui nous suit

Yves DUTEIL

ROSEMONDE GÉRARD
(1871-1933)

LORSQUE TU SERAS VIEUX...

Lorsque tu seras vieux et que je serai vieille,
Lorsque mes cheveux blonds seront des cheveux blancs,
Au mois de mai, dans le jardin qui s'ensoleille,
Nous irons réchauffer nos vieux membres tremblants.
Comme le renouveau mettra nos cœurs en fête,
Nous nous croirons encore de jeunes amoureux,
Et je te sourirai tout en branlant la tête,
Et nous ferons un couple adorable de vieux ;
Nous nous regarderons, assis sous notre treille,
Avec de petits yeux attendris et brillants,
Lorsque tu seras vieux et que je serai vieille,
Lorsque mes cheveux blonds seront des cheveux blancs.

Sur le banc familier, tout verdâtre de mousse,
Sur le banc d'autrefois nous reviendrons causer ;
Nous aurons une joie attendrie et très douce,
La phrase finissant toujours par un baiser.
Combien de fois jadis j'ai pu dire « Je t'aime ! »
Alors, avec grand soin, nous le recompterons ;
Nous nous ressouviendrons de mille choses, même
De petits riens exquis dont nous radoterons.
Un rayon descendra, d'une caresse douce,
Parmi nos cheveux blancs, tout rose, se poser,
Quand, sur notre vieux banc tout verdâtre de mousse,
Sur le banc d'autrefois nous reviendrons causer.

Et comme chaque jour je t'aime davantage,
Aujourd'hui plus qu'hier et bien moins que demain,
Qu'importeront alors les rides du visage,
Si les mêmes rosiers parfument le chemin
Songe à tous les printemps qui dans nos cœurs s'entassent,

Mes souvenirs à moi seront aussi les tiens,
Ces communs souvenirs toujours plus nous enlacent
Et sans cesse entre nous tissent d'autres liens ;
C'est vrai, nous serons vieux, très vieux, faiblis par l'âge,
Mais plus fort chaque jour je serrerai ta main,
Car, vois-tu, chaque jour je t'aime davantage :
Aujourd'hui plus qu'hier et bien moins que demain !

Et de ce cher amour qui passe comme un rêve,
Je veux tout conserver dans le fond de mon cœur,
Retenir, s'il se peut, l'impression trop brève,
Pour la ressavourer plus tard avec lenteur ;
J'enferme ce qui vient de lui comme un avare,
Thésaurisant avec ardeur pour mes vieux jours ;
Je serai riche alors d'une richesse rare,
J'aurai gardé tout l'or de mes jeunes amours ;
Ainsi, de ce passé de bonheur qui s'achève,
Ma mémoire parfois me rendra la douceur,
Et de ce cher amour qui passe comme un rêve
J'aurai tout conservé dans le fond de mon cœur.

Lorsque tu seras vieux et que je serai vieille,
Lorsque mes cheveux blonds seront des cheveux blancs,
Au mois de mai, dans le jardin qui s'ensoleille,
Nous irons réchauffer nos vieux membres tremblants.
Comme le renouveau mettra nos cœurs en fête,
Nous nous croirons encore aux jours heureux d'antan,
Et je te sourirai tout en branlant la tête,
Et tu me parleras d'amour en chevrotant ;
Nous nous regarderons, assis sous notre treille,
Avec des yeux remplis des pleurs de nos vingt ans...
Lorsque tu seras vieux et que je serai vieille,
Lorsque mes cheveux blonds seront des cheveux blancs !

(*L'Éternelle chanson*)

(*Les Pipeaux*, Éd. Fasquelle, 1923)

ALBERT SAMAIN
(1858-1900)

ÉLÉGIE

Dans le parc aux lointains voilés de brume, sous
Les grands arbres d'où tombe avec un bruit très doux
L'adieu des feuilles d'or parmi la solitude,
Sous le ciel pâlissant comme de lassitude,
Nous irons, si tu veux, jusqu'au soir, à pas lents,
Bercer l'été qui meurt dans nos cœurs indolents.
Nous marcherons parmi les muettes allées ;
Et cet amer parfum qu'ont les herbes foulées,
Et ce silence, et ce grand charme langoureux
Que verse en nous l'automne exquis et douloureux
Et qui sort des jardins, des bois, des eaux, des arbres
Et des parterres nus où grelottent les marbres,
Baignera doucement notre âme tout un jour,
Comme un mouchoir ancien qui sent encor l'amour.

(*Le Chariot d'or*, Éd. Mercure de France, 1947)

ANDRÉE CHEDID
(1920)

L'ESCAPADE DES SAISONS

Je t'aimais
Dans l'orage des sèves
Je t'aime
Sous l'ombrage des ans

Je t'aimais
Aux jardins de l'aube
Je t'aime
Au déclin des jours

Je t'aimais
Dans l'impatience solaire
Je t'aime
Dans la clémence du soir

Je t'aimais
Dans l'éclair du verbe
Je t'aime
Dans l'estuaire des mots

Je t'aimais
Dans les foucades du printemps
Je t'aime
Dans l'escapade des saisons

Je t'aimais
Aux entrailles de la vie
Je t'aime
Aux portails du temps.

(*Rythmes*, Éd. Gallimard, 2003)

POÈME ESKIMO DU LABRADOR

HOMME ET FEMME

Un homme et sa femme
Avaient leur demeure
Au bord de la rivière.
Ils ne voulaient pas se séparer
Bien que très âgés.

Comme ils s'aimaient
Beaucoup,
Ils souhaitaient tous deux
Mourir ensemble.

Il advint que Dieu les entendit
Et une nuit qu'ils dormaient,
La rivière s'enfla, envahit la maison
Et la détruisit.

Comme en un rêve
Leur vie fut emportée
Et tous deux furent rappelés
Vers Dieu
Qui exauçait leur vœu.

(in *Chants de la Toundra. Poèmes eskimos du Canada*,
Éd. de La Découverte, 1985)
Adaptation française de Pierre Léon

ÉMILE VERHAEREN
(1855-1916)

OH ! TES SI DOUCES MAINS...

Oh ! tes si douces mains et leur lente caresse
Se nouant à mon cou et glissant sur mon torse
Quand je te dis, au soir tombant, combien ma force
S'alourdit, jour à jour, du plomb de ma faiblesse !

Tu ne veux pas que je devienne ombre et ruine
Comme ceux qui s'en vont du côté des ténèbres,
Fût-ce avec un laurier entre leurs mains funèbres
Et la gloire endormie en leur creuse poitrine.

Oh ! que la loi du temps m'est par toi adoucie,
Et que m'est généreux et consolant ton songe.
Pour la première fois tu berces d'un mensonge
Mon cœur qui t'en excuse et qui t'en remercie ;

Mais qui sait bien pourtant que toute ardeur est vaine
Contre tout ce qui est et tout ce qui doit être,
Et qu'un profond bonheur se rencontre peut-être
À finir en tes yeux ma belle vie humaine.

(*Les Heures*, Éd. Jacques Antoine, 1978)

JEAN VAUQUELIN DE LA FRESNAYE
(1536-1606)

PHILIS, QUAND JE REGARDE...

Philis, quand je regarde au temps prompt et léger,
Qui dérobe soudain nos coulantes années,
Je commence à compter les saisons retournées
Qui viennent tous les jours nos beaux jours abréger.

Car ja quarante fois nous avons vu loger
Le soleil au Lion des plus longues journées,
Depuis que nous avons nos amours demenées
Sous la foi qui nous fit l'un à l'autre engager.

Et puis ainsi je dis : « Ô Dieu, qui tiens unie
De si ferme union notre amitié bénie,
Permets que jeune en nous ne vieillisse l'Amour ;

Permets qu'en t'invoquant, comme jusqu'à cette heure,
Augmente notre Amour d'amour toujours meilleure,
Et telle qu'au premier, soit-elle au dernier jour ! »

(Idillies)

JEAN PASCAL
(xxᵉ siècle)

NOCES D'OR

L'un sur l'autre appuyés pour marcher droit quand même
Nous allons doucement notre dernier chemin
Cueillant les souvenirs à la limite extrême
De nos jours partagés dans un passé lointain.

L'un dit, « te souviens-tu ? », l'autre, « je me rappelle »
Et nous ressuscitons un visage oublié
Un lieu de rendez-vous où tu étais si belle
Des choses et des gens jadis familiers.

Ainsi nous cheminons au fond de nos mémoires
L'un par l'autre enrichis d'un souvenir commun
Nous écrivons ensemble un peu de notre histoire
En revivant hier, nous oublions demain.

(in Poésie à Paris, Éd. Pierre Saurat, 1986)

LÉOPOLD SÉDAR SENGHOR
(1906-2001)

TU PARLES

Tu parles de ton âge, de tes fils de soie blanche.
Regarde tes mains pétales de laurier rose, ton cou le seul pli
de la grâce.
J'aime les cendres sur tes cils tes paupières, et tes yeux d'or
mat et tes yeux
Soleil sur la rosée d'or vert, sur le gazon du matin
Tes yeux en Novembre comme la mer d'aurore autour du
Castel de Gorée.
Que de forces en leurs fonds, fortunes des caravelles, jetées
au dieu d'ébène !

J'aime tes jeunes rides, ces ombres que colore d'un vieux rose
Ton sourire de Septembre, ces fleurs commissures de tes
yeux de ta bouche.
Tes yeux et ton sourire, les baumes de tes mains le velours
la fourrure de ton corps
Qu'ils me charment longtemps au jardin de l'Éden
Femme ambiguë, toute fureur toute douceur.

Mais au cœur de la saison froide
Quand les courbes de ton visage plus pures se présenteront
Tes joues plus creuses, ton regard plus distant, ma Dame
Quand de sillons seront striés, comme les champs l'hiver,
ta peau ton cou ton corps sous les fatigues
Tes mains minces diaphanes, j'atteindrai le trésor de ma quête
rythmique
Et le soleil derrière la longue nuit d'angoisse
La cascade et la même mélopée, les murmures des sources
de ton âme.

Viens, la nuit coule sur les terrasses blanches, et tu viendras
La lune caresse la mer de sa lumière de cendres transparentes.
Au loin, reposent des étoiles sur les abîmes de la nuit marine
L'Île s'allonge comme une voie lactée.
Mais écoute, entends-tu ? les chapelets d'aboiements qui
    montent du cap Manuel
Et monte du restaurant du wharf et de l'anse
Quelle musique inouïe, suave comme un rêve

Chère !...

(Œuvre poétique, Éd. du Seuil, 1990)

ALPHONSE DE LAMARTINE
(1790-1869)

CHANT D'AMOUR

Un jour, le temps jaloux, d'une haleine glacée,
Fanera tes couleurs comme une fleur passée
       Sur ces lits de gazon ;
Et sa main flétrira sur tes charmantes lèvres
Ces rapides baisers, hélas ! dont tu me sèvres
       Dans leur fraîche saison.

Mais quand tes yeux, voilés d'un nuage de larmes,
De ces jours écoulés qui t'ont ravi tes charmes
       Pleureront la rigueur ;
Quand dans ton souvenir, dans l'onde du rivage
Tu chercheras en vain ta ravissante image,
       Regarde dans mon cœur !

Là ta beauté fleurit pour des siècles sans nombre ;
Là ton doux souvenir veille à jamais à l'ombre
       De ma fidélité,
Comme une lampe d'or dont une vierge sainte
Protège avec la main, en traversant l'enceinte,
       La tremblante clarté.

Et quand la mort viendra, d'un autre amour suivie,
Éteindre en souriant de notre double vie
       L'un et l'autre flambeau,
Qu'elle étende ma couche à côté de la tienne,
Et que ta main fidèle embrasse encor la mienne
       Dans le lit du tombeau.

Ou plutôt puissions-nous passer sur cette terre,
Comme on voit en automne un couple solitaire
       De cygnes amoureux

Partir, en s'embrassant, du nid qui les rassemble,
Et vers les doux climats qu'ils vont chercher ensemble
S'envoler deux à deux.

(Nouvelles méditations poétiques)

(Œuvres poétiques complètes, Éd. Gallimard, 1963)

ARMAND SULLY PRUDHOMME
(1839-1907)

LE MEILLEUR MOMENT DES AMOURS

Le meilleur moment des amours
N'est pas quand on a dit : « Je t'aime. »
Il est dans le silence même
À demi rompu tous les jours ;

Il est dans les intelligences
Promptes et furtives des cœurs ;
Il est dans les feintes rigueurs
Et les secrètes indulgences ;

Il est dans le frisson du bras
Où se pose la main qui tremble,
Dans la page qu'on tourne ensemble
Et que pourtant on ne lit pas.

Heure unique où la bouche close
Par sa pudeur seule en dit tant ;
Où le cœur s'ouvre en éclatant
Tout bas, comme un bouton de rose ;

Où le parfum seul des cheveux
Paraît une faveur conquise !
Heure de la tendresse exquise
Où les respects sont des aveux.

(Stances)

(*Poésies 1865-1866*, Librairie Alphonse Lemerre, 1947)

CHARLES-FERDINAND RAMUZ
(1878-1947)

VIENS TE METTRE À CÔTÉ DE MOI...

Viens te mettre à côté de moi sur le banc devant la maison, femme, c'est bien ton droit ; il va y avoir quarante ans qu'on est ensemble.

Ce soir, et puisqu'il fait si beau, et c'est aussi le soir de notre vie : tu as bien mérité, vois-tu, un petit moment de repos.

Voilà que les enfants à cette heure sont casés, ils s'en sont allés par le monde ; et, de nouveau, on n'est rien que les deux, comme quand on a commencé.

Femme, tu te souviens ? On n'avait rien pour commencer, tout était à faire. Et on s'y est mis, mais c'est dur. Il faut du courage, de la persévérance.

Il faut de l'amour, et l'amour n'est pas ce qu'on croit quand on commence.

Ce n'est pas seulement ces baisers qu'on échange, ces petits mots qu'on se glisse à l'oreille, ou bien de se tenir serrés l'un contre l'autre ; le temps de la vie est long, le jour des noces n'est qu'un jour ; c'est ensuite, tu te rappelles, c'est seulement ensuite qu'a commencé la vie.

Il faut faire, c'est défait ; il faut refaire et c'est défait encore.

Les enfants viennent ; il faut les nourrir, les habiller, les élever : ça n'en finit plus ; il arrive aussi qu'ils soient malades ; tu étais debout toute la nuit ; moi, je travaillais du matin au soir.

Il y a des fois qu'on désespère ; et les années se suivent et on n'avance pas et il semble qu'on revient en arrière. Tu te souviens, femme, ou quoi ?

Tous ces soucis, tous ces tracas ; seulement tu as été là. On est resté fidèles l'un à l'autre. Et ainsi j'ai pu m'appuyer sur toi, et toi tu t'appuyais sur moi.

On a eu la chance d'être ensemble, on s'est mis tous les deux à la tâche, on a duré, on a tenu le coup.

Le vrai amour n'est pas ce qu'on croit. Le vrai amour n'est pas d'un jour, mais de toujours. C'est de s'aider, de se comprendre.

Et, peu à peu, on voit que tout s'arrange. Les enfants sont devenus grands, ils ont bien tourné. On leur avait donné l'exemple.

On a consolidé les assises de la maison. Que toutes les maisons du pays soient solides, et le pays sera solide, lui aussi.

C'est pourquoi, mets-toi à côté de moi et puis regarde, car c'est le temps de la récolte et le temps des engrangements ; quand il fait rose comme ce soir, et une poussière rose monte partout entre les arbres.

Mets-toi tout contre moi, on ne parlera pas : on n'a plus besoin de rien se dire ; on n'a besoin que d'être ensemble encore une fois, et de laisser venir la nuit dans le contentement de la tâche accomplie.

(Inédit)

CLAUDE ROY
(1915-1997)

TANT

Tant je l'ai regardée   caressée   merveillée
et tant j'ai dit son nom à voix haute et silence
le chuchotant au vent   le confiant au sommeil
tant ma pensée sur elle s'est posée   reposée
mouette sur la voile au grand large de mer
que même si la route où nous marchons l'amble
ne fut et ne sera qu'un battement de cil du temps
qui oubliera bientôt qu'il nous a vus ensemble
je lui dis chaque jour merci d'être là

et même séparés   son ombre sur un mur
s'étonne de sentir mon ombre qui l'effleure

Venise
mercredi 20 novembre 1985

(*Le Voyage d'automne*, Éd. Gallimard, 1987)

PABLO NERUDA
(1904-1973)

MON AMOUR, SI JE MEURS...

Mon amour, si je meurs et si tu ne meurs pas,
mon amour, si tu meurs et si je ne meurs pas,
n'accordons pas à la douleur plus grand domaine :
nulle étendue ne passe celle de nos vies.

Poussière sur le blé, et sable sur les sables
l'eau errante et le temps, et le vent vagabond
nous emportaient tous deux comme graine embarquée.
Nous pouvions dans ce temps ne pas nous rencontrer.

Et dans cette prairie où nous nous rencontrâmes,
mon petit infini, nous voici à nouveau.
Mais cet amour, amour, est un amour sans fin,

et de même qu'il n'a pas connu de naissance
il ignore la mort, il est comme un long fleuve,
il change seulement de lèvres et de terre.

(*La Centaine d'amour*, Éd. Gallimard, 1995)
Traduit de l'espagnol par Jean Marcenac et André Bonhomme

JE CONNAIS DES BATEAUX

Je connais des bateaux qui restent dans le port
de peur que les courants les entraînent trop fort.
Je connais des bateaux qui rouillent dans le port,
à ne jamais risquer une voile au-dehors.

Je connais des bateaux qui oublient de partir.
Ils ont peur de la mer à force de vieillir,
et les vagues jamais ne les ont séparés,
leur voyage est fini avant de commencer.

Je connais des bateaux tellement enchaînés
qu'ils en ont désappris comment se regarder.
Je connais des bateaux qui restent à clapoter,
pour être vraiment sûrs de ne pas se quitter !

Je connais des bateaux qui s'en vont deux par deux,
affronter le gros temps quand l'orage est sur eux.
Je connais des bateaux qui s'égratignent un peu,
sur les routes océanes où les mènent leurs jeux.

Je connais des bateaux qui n'ont jamais fini
de s'épouser encore chaque jour de leur vie,
et qui ne craignent pas, parfois, de s'éloigner,
l'un de l'autre un moment, pour mieux se retrouver.

Je connais des bateaux qui reviennent au port,
labourés de partout mais plus graves et plus forts.
Je connais des bateaux étrangement pareils,
quand ils ont partagé des années de soleil.

Je connais des bateaux qui reviennent d'amour,
quand ils ont navigué jusqu'à leur dernier jour,
sans jamais replier leurs ailes de géants,
parce qu'ils ont le cœur à taille d'océan.

Mannick *(1944)*

© Éditions Musicales Studio SM

TABLE DES AUTEURS

COPYRIGHTS

Les auteurs :

Dr Somlyö Balint, © réservé pour György Somlyö, « Fable du matin et du soir », *in Contrefables* (Éd. Gallimard, version fr. d'Eugène Guillevic).

Elie Georges Berreby, © réservé pour « Le point ».

Jacques Darras, © réservé pour « La Maye » (Éd. Trois Cailloux).

René Depestre, © réservé pour « Célébration de ma femme », *in Anthologie personnelle*.

Fondation C.-F. Ramuz, © réservé pour Charles-Ferdinand Ramuz, « Viens te mettre à côté de moi... ».

Yvan Goll, © réservé pour « Dix mille aubes », *in Œuvres*.

Robert Misrahi, © réservé pour « L'amour comme réciprocité », *in Le Bonheur*.

Robert Moran, © réservé pour « P » (inédit).

Ada Negri, © réservé pour « Maternité », *in Poèmes pour ma mère* (Éd. Tchou).

Marcel Prévost, © « Le mariage de Julienne », *in Le Mariage de Julienne*.

Les éditeurs :

Actes Sud, © réservé pour Alice Ferney, « L'élégance des veuves ».

Albin Michel, © réservé pour : Eliette Abécassis, « La nuit, j'étais sur le lit... », *in La Répudiée*. Jacques Salomé, « Une vie d'aimance », *in En amour l'avenir vient de loin*.

Buchet Chastel, © réservé pour Stanley Crawford, « Les Maisons », *in Catalogue raisonné de la vie domestique et conjugale*, Pierre Zech Éditeur, traduit de l'américain par Nicole Tisserand.

Casterman, © réservé pour Khalil Gibran, « Le mariage », *in Le Prophète*.

Éd. du Cerf, © réservé pour Louis de La Bouillerie, « Le monde a besoin de votre bonheur », et « Les fleurs peuvent-elles ne pas rêver aux fruits ? », *in Les Noces de l'été*.

La Différence, © réservé pour Marguerite Burnat-Provins, « Parce que l'amour a noué nos corps... », *in Le Livre pour toi*.

Laffont Seghers, © réservé pour : Paul Éluard, « La mort l'amour la vie » (« Le Phénix ») *in Œuvres complètes*. Claude Sernet, « Dédicace », *in Fidèle infidèle*. Claude Vigée, « Les noces de Capri », *in Canaan d'Exil*.

Le Castor Astral, © réservé pour Anne Sylvestre, « Lazare et Cécile », *in Sur mon chemin des mots* (Éd. EPM et Le Castor Astral).

TABLE

Pour le meilleur

À propos du mariage

Noces

Passionnément

Au fil des jours

Vieillir ensemble

Composition et mise en pages par DV Arts Graphiques à Chartres
Imprimé en France par la Société Nouvelle Firmin-Didot
Dépôt légal : janvier 2007
N° d'édition : 499 – N° d'impression : 83280
ISBN 978-2-74910-499-8